Un été,
un enfant

Un été, un enfant

SOUS LA DIRECTION DE
PAUL-ANDRÉ COMEAU

ALICE PARIZEAU

JEAN ROYER

NATHALIE PETROWSKI

JEAN O'NEIL

FRANCINE D'AMOUR

JEAN ÉTHIER-BLAIS

ALAIN PONTAUT

ARLETTE COUSTURE

GILLES ARCHAMBAULT

GUY BOULIZON

ROBERT LÉVESQUE

DANY LAFERRIÈRE

YVES BEAUCHEMIN

PAUL-ANDRÉ COMEAU

COLLABORATION DU JOURNAL :
LE DEVOIR

ÉDITIONS QUÉBEC/AMÉRIQUE

425, rue Saint-Jean-Baptiste, Montréal, Québec H2Y 2Z7 (514) 393-1450

Données de catalogage avant publication (Canada)

Vedette principale au titre

Un été, un enfant

(Collection Littérature d'Amérique).

ISBN 2-89037-519-6

1. Nouvelles canadiennes-françaises. 2. Roman cana-
dien-français — 20e siècle. 3. Enfants dans la littérature. I. Comeau, Paul-André, 1940-   . II. Collection.

PS8329.E83   1990   C843'.5408'0352054   C90-096697-1
PS9329.E83   1990
PQ3916.E83   1990

Dépôt légal:
4e trimestre 1990
Bibliothèque nationale du Québec
Bibliothèque nationale du Canada

Montage
Andréa Joseph

Table des matières

Introduction

Des rives de la Baltique aux berges du Saint-Laurent, en passant par le Mont-Saint-Michel; de Nevers à Saint-Lambert, avec un crochet par Cabano; les quatorze récits réunis dans ce petit livre se situent sur deux continents. Ils respirent l'air du grand large. De la veille du déclenchement de la Grande Guerre jusqu'aux explosions toutes pacifiques pour dégager la voie maritime du Saint-Laurent, ces souvenirs d'enfance couvrent plus de la moitié du siècle qui s'achève. Ils disent l'âge de ces auteurs, écrivains et «écrivailleux» comme on désigne affectueusement les journalistes, qui ont accepté de partager un souvenir de leurs jeunes années.

L'idée de solliciter cette forme de collaboration estivale et d'en faire profiter les lecteurs du DEVOIR n'est pas gratuite. Elle s'inscrit dans la tentative rituelle, au moment où se dessinent les premiers trous dans la salle de rédaction, d'assurer au creux de l'été une matière

originale, stimulante, qui puisse créer intérêt et
même habitude chez les courageux lecteurs de la
canicule. Et aussi, il faut l'avouer sans honte,
dans l'espoir de maquiller les vides d'une information qui se met habituellement au ralenti,
elle aussi. Mais l'été dernier, d'un golfe à l'autre,
l'actualité s'est faite pressante, dramatique,
inquiétante.

Ce thème du souvenir estival de l'enfance
remémorée a plu immédiatement aux auteurs
que j'ai sollicités, sans grand apprêt. Peut-être
partageaient-ils cette quête intime qui oblige à
dire avec plus ou moins de précision quand et
comment se sont gravées dans la mémoire et
sans doute dans le subconscient les explications
lointaines et profondes des intérêts de l'homme
et de la femme à l'âge dit adulte.

On me pardonnera de livrer en «raouette» —
terme wallon qui désigne tout petit supplément,
gratuit — ces souvenirs personnels où je pense
lier ma relation profonde, mais ambiguë avec la
chose politique, mon insatiable curiosité pour le
vaste monde, selon le beau mot du Survenant, de
Germaine Guèvremont.

À la réception des textes promis dans l'enthousiasme du moment, une certitude s'est
dessinée. Il fallait prolonger le plaisir éphémère
du quotidien pour permettre à un plus grand
nombre de lecteurs de découvrir ces essais, mi-
nouvelle, mi-prose poétique. D'où ce petit ouvrage sans prétention qui se contente de repro-

duire chacun de ces textes dans leur ordre original de publication dans l'édition du samedi du DEVOIR, du 23 juin au 8 septembre 1990.

Outre la générosité de la démarche initiale, tous les auteurs ont accepté de verser leurs droits d'auteur à la Ligue pour la recherche sur la sclérose en plaques. Le geste témoigne du caractère désintéressé d'une entreprise qui va bien au-delà du devoir de vacances.

Quatorze textes, autant de notes biographiques pour situer leur auteur: ces rappels n'ont d'autre prétention que d'évoquer le cheminement de chacun de ces collaborateurs d'un été, parfois de toute une carrière. Rien de scientifique, encore moins d'exhaustif dans ces notations: elles disent tout simplement ma perception du sens de l'œuvre de ces écrivains qui ont répondu spontanément à la requête d'un rédacteur en chef habitué de «quémander» contribution et compréhension.

J'acquitte avec plaisir et émotion ma dette de reconnaissance envers chacune et chacun de ces mémorialistes d'une enfance estivale. Impossible de ne pas souligner ici la collaboration de Suzanne Marchand dans cette démarche et de lui exprimer ma vive reconnaissance.

Quand la notion de souvenir n'entache pas la cueillette du jour qui passe, l'enfant profite à belles dents de ces soleils prolongés. Un été, un enfant.

J'acquitte aussi une dette de gratitude envers Jean Martin qui a accepté de relire l'ensemble du manuscrit.

Paul-André Comeau

Une certaine qualité de bonheur peut guérir une petite fille malade

Alice Parizeau

*Fin mai, il n'y a eu aucun moment d'hési-
tation de la part d'Alice Parizeau. Elle a spontanément accepté de lancer cette série estivale du
DEVOIR. Elle devait nous remettre un texte
superbe, prémonitoire pour ceux qui ignoraient
son long combat contre le cancer.*

*En signant ce qui devait être son dernier texte
publié avant sa disparition, le 30 septembre 1990,
Alice Parizeau renoue certes avec ses souvenirs
d'enfance. Elle évoque surtout le soleil de la mer
Baltique, fugace mais tonifiant «pour une petite
fille malade». Au delà de la réminiscence, plus
d'un lecteur a imaginé l'espoir tenace qui animait
cette femme de cœur et de courage.*

*Criminologue de cœur — elle recherchait
avant tout la justice —, romancière de raison —
elle tentait de nommer les causes de son attachement à sa Pologne natale, de son enracinement à
son Québec d'adoption —, telle s'est toujours pré-
sentée Alice Parizeau, installée au Québec dès
avant l'éclatement de la Révolution tranquille.*

*Dans la production romanesque d'Alice
Parizeau, le Québec des coups de cœur et des
tâtonnements occupe une place particulière. Par*

touches successives, tel un peintre tachiste (Côte-des-Neiges, Cercle du Livre de France, 1983; Blizzard sur Québec, Québec/Amérique, 1987), elle tente de cerner le cheminement de ce peuple où elle a plongé ses racines, une fois venu l'âge adulte.

De façon parallèle, elle a poursuivi sa quête de compréhension du pays là-bas. Au fil des ans, à la faveur de reportages et de récits, elle a raconté cette nation convertie de force au marxisme-léninisme. Au lendemain de la signature des accords de Gdansk et de la naissance de Solidarnosc, elle a entamé le premier volet d'une véritable trilogie aux allures de saga nationale. Avec Les lilas fleurissent à Varsovie, *Alice Parizeau exorcise le pays qu'elle a quitté au lendemain de la guerre. On retrouve d'ailleurs dans les deux autres titres de ce cycle (*La Charge des sangliers, *1982,* Ils se sont connus à Lwow, *1985, Cercle du Livre de France) l'importance du second conflit mondial dans la vie de la romancière et dans l'histoire millénaire d'une Pologne périodiquement déchirée.*

Les lecteurs du DEVOIR ont suivi, de semaine en semaine, sa chronique consacrée aux lettres étrangères où elle a privilégié le chant rebelle venu de l'Est. Elle est décédée quelques mois après la chute des régimes totalitaires d'Europe centrale, à la veille des élections où le peuple polonais choisira librement son premier Président depuis un demi-siècle.

L'été se traînait, imbibé d'eau et d'ennui. La mer grise, couverte de petites rides, paraissait elle-même fatiguée de ne refléter que des nuages. Elle attendait autre chose, le soleil, ou encore les tempêtes folles pour qu'il lui soit possible de gronder enfin et de rouler des hautes vagues verdâtres qui font peur. Les vacanciers désœuvrés se promenaient sur les plages, ou dans les forêts environnantes soigneusement plantées pour retenir le sol qui glisse depuis toujours vers les dunes de sable, vers l'eau, vers la puissance destructrice aidée par le vent.

La mer Baltique, froide, indifférente, fermée, que j'ai tant aimée, est cependant très généreuse. Parmi les corps gélatineux et colorés des méduses, elle rejette sur le sable des coquillages et des morceaux d'ambre, gros et petits, couleur de miel. Parfois on y découvre, enchâssés pour toujours, des corps de mollusques ou de crabes, semblables par leur forme à des fleurs claires, blanches presque dans ce jaune riche comme celui des pièces d'or, fraîchement frottées et exposées au soleil.

Dès le matin les enfants se mettaient à cou-

rir, pieds nus et vêtements chauds sur le dos,
rouges, verts et orange, et ramassaient dans des
petits paniers et dans des seaux ce qu'ils trouvaient, puis, excités, ils portaient ce butin à
leurs parents assis sur la véranda du grand
hôtel où l'on servait à boire et à manger aux sons
de l'orchestre formé d'étudiants du conservatoire
et où, dans l'après-midi, on dansait. De la fenêtre de ma chambre qui se trouvait juste au-
dessus je voyais et j'entendais tout cela et
parfois j'obtenais même la permission de descendre, mais je ne pouvais participer à la chasse
aux trésors. Je n'étais pas une enfant comme les
autres, moi! J'étais fragile, continuellement
malade, et il fallait me protéger. Pas de bains de
mer, pas de grand air du large, pas de petits
camarades par conséquent. Certains venaient
passer quelques instants avec moi, grignoter des
sucreries, regarder mes livres et jouer avec mes
toupies dont j'avais une collection, mais repartaient vite et cela était normal.

Je ne pouvais pas courir. J'avais des pro-
blèmes de pieds. Mes bottines orthopédiques,
lacées très haut, étaient laides, lourdes et
inefficaces. Chaque soir j'avais en plus des pous-
sées de fièvre et je souffrais d'un continuel mal
de gorge et de l'oreille droite. Menacée de surdité,
je n'entendais pas la nuit le chant des vagues, ce
qui me désolait plus que n'importe quoi d'autre.

Les médecins me condamnaient néanmoins à
rester trois mois au bord de la mer, année après

année, sous prétexte que seul son iode qui péné-
trait en principe par la fenêtre ouverte de ma
chambre pouvait me donner la force de vaincre
mes maladies. Sur le plan humain, par ailleurs,
il était essentiel que je fréquente mon père, trop
occupé le reste du temps et qui soignait au bord
de la mer son asthme chronique. Dans son cas
au moins les résultats étaient visibles, dans le
mien par contre on obtenait, je crois, les effets
inverses à ceux pour lesquels ma mère, la sainte
femme, ne cessait de prier. Moi j'étais malheureuse, sans le savoir, et plutôt révoltée sans trop
comprendre ce que cela signifiait et comment le
manifester. Et puis un mardi, aussi banal que
n'importe quel autre mardi gris de ces tristes
vacances, tout a changé pour moi à cause d'un
homme dont je suis tombée éperdument amoureuse.

Il portait l'uniforme bleu foncé avec des bou-
tons dorés de la marine et était responsable du
phare. J'ignorais qu'il était légèrement plus âgé
que mon père, mais j'ai remarqué tout de suite
ses grands yeux verts, ses cheveux blonds
bouclés, sa barbiche blonde et son sourire triste.
De son prénom il s'appelait Xavier et il est devenu le véritable héros de mes rêves et de mes
songes, celui qui ne pouvait ne pas m'aimer un
jour, l'objet de ma passion absolue, totale et
parfaitement secrète.

Tout se passa très vite. Je l'ai vu de ma fenêtre arriver sur la terrasse où mes parents

prenaient le thé avec leurs amis! Ce fut un de
ces rares moments où la pluie avait cessé. Il
entra, l'orchestre le salua comme une vedette ou
un invité de marque, mais il était mieux que
cela! Xavier, le capitaine responsable du phare,
venait de sauver six pêcheurs perdus près des
rochers où leur barque avait chaviré la nuit
précédente et où ils n'avaient que peu de chances
de s'accrocher et de résister aux vagues. Au lieu
d'attendre le garde-côtes, Xavier sortit son
propre bateau, arriva sur place dans un temps
record et manœuvra avec une habileté telle que
les pêcheurs ont pu s'accrocher, puis monter sur
le pont. Il leur avait sauvé la vie et depuis le
matin plusieurs villages étaient en émoi, les
cloches sonnaient dans les églises et on remer-
ciait la Sainte Vierge.

Pour une fois j'ai donc été autorisée, malgré
le vent, à descendre sur la terrasse et assez
curieusement, dès que je me suis assise à la
table de mes parents, il est venu lui aussi les
rejoindre. Peu après il demanda qu'on me per-
mette de visiter son phare. La presqu'île de Hel,
où il se trouve encore de nos jours, n'était pas
loin et il promettait de m'emmener en voiture
après le petit déjeuner et de me ramener dans
l'après-midi. Et c'est ainsi qu'avant la fin de la
semaine mon existence changea du tout au tout.

Mon bel officier avait le don d'expliquer la
géographie, de la mêler avec l'histoire et de
rendre poétique ce qui n'avait pas le moindre

charme à l'école. Perchée là-haut, dans la petite pièce blanche de la tour, j'ai étudié avec lui les boussoles, j'ai calculé la vitesse du vent, j'ai fixé les quatre points cardinaux et j'ai trouvé sur la carte les pays baltes, la Lituanie en tête, dont le destin a été étroitement lié avec celui de mon pays à l'époque des Jagellon, dynastie régnante en Pologne. Au moment où il commença à me réciter des vers, j'ai regardé par l'étroite fenêtre le précipice en bas où les vagues rinçaient le petit escalier en fer noir et j'ai eu le vertige. Je n'ai pas eu besoin de l'avouer! Xavier le devina, me souleva de terre, me porta dans sa chambre, sorte de petite cellule monacale, et m'allongea sur son lit. J'ai fermé les yeux. J'avais vingt ans, j'étais grande, mince, bien portante et belle. Je l'aimais et il m'aimait à la folie.

Inquiet, le capitaine Xavier prit ma main dans les siennes pour mieux me rassurer et me parla de lui. Sa femme et sa fille, qui avait à peu près mon âge, ont été tuées dans un accident d'auto. Elles venaient justement à la base dont il était alors le commandant pour le rejoindre.

Par la suite il démissionna et demanda d'avoir la charge de ce phare pour s'isoler de ses camarades et mener une existence aussi solitaire que possible entre ciel et terre.

— Le temps permet peut-être d'effacer la souffrance, mais il n'apporte pas l'oubli, disait-il. Je te souhaite, petite, de ne pas connaître ces sentiments-là.

J'avais envie de prendre sa tête entre mes
mains, de caresser ses cheveux et d'embrasser
ses paupières, mais je me suis retenue, sachant
que cela serait la fin de notre amitié naissante.
À dessein j'ai exagéré l'importance de mon
malaise pour rester plus longtemps avec lui,
mais finalement j'ai dû me laisser ramener à
l'hôtel. J'avais déjà, à l'époque, beaucoup d'imagination et avec l'aide de mon beau capitaine j'ai
commencé à rêver. Les yeux fermés, les dents
serrées, je suis devenue en quelques nuits une
femme amoureuse. Tantôt je m'introduisais en
fraude sur le bateau de Xavier et nous partions
ainsi ensemble dans les pays scandinaves et
tantôt il acceptait de me garder au phare jusqu'à
ma majorité, tandis que mes parents repartaient
en ville. Dans ma mémoire, je retrouvais des
bribes de phrases et d'images remarquées par
hasard, je les adaptais et je les traduisais à ma
manière, ne les comprenant pas en réalité. Je
caressais ses cheveux, il embrassait mon dos,
couvrait de baisers mon visage et ma bouche et
moi je lui avouais que j'attendais un enfant de
lui. C'était la période de ma vie où j'étais abso-
lument certaine qu'il suffisait d'un long baiser
sur la bouche pour rendre une fille enceinte et
que les cigognes jouaient ensuite un rôle
important dans le processus de la procréation.

En attendant ces événements heureux je
restais clouée devant ma fenêtre de crainte que
mon beau capitaine vienne à nouveau me cher-

cher et que maman me le cache. J'ai jeûné pour qu'il vienne, mais sans résultats. Les jours passaient, les vacances touchaient à leur fin, il continuait à faire mauvais mais Xavier ne se montrait pas à l'hôtel même si je passais mes nuits en prières à me traîner à genoux d'un mur de ma chambre à l'autre.

J'étais malheureuse comme jamais auparavant, je n'entendais plus rien, ma température montait et se maintenait malgré les médicaments et mes parents ne savaient plus que faire. Maman, surtout, comptait les heures qui la séparaient du retour en ville. Ses amies lui enviaient ses longues vacances et elle, la pauvre, aurait préféré ne pas en avoir du tout! L'envie est certainement le plus stupide des sentiments humains!

Cette nuit-là je me suis endormie couchée par terre, le visage inondé de larmes, et c'est un rayon de lumière qui me fit revenir à la réalité. Dehors toutes les lampes étaient allumées. Les vagues passaient par-dessus le remblai construit autour de l'hôtel, montaient jusqu'à la terrasse et rinçaient sur leur passage les tables, les chaises, des menus objets et jusqu'aux planches de l'estrade qui craquaient comme des allumettes sous leur poids. La tempête se déchaînait, les éclairs dessinaient sur le ciel des lignes qui se perdaient dans l'infini et toute la carcasse de notre hôtel paraissait bouger. J'ai pensé au phare isolé sur son promontoire, construction trop haute et trop effilée, selon ce que les gens disaient à ce propos sur la côte et sans réfléchir j'ai enfilé mes horribles bottines, mon ciré à capuchon et j'ai quitté l'hôtel par la porte des cuisines, la seule qu'on pouvait ouvrir malgré la pression du vent. Quelqu'un avait crié quelque chose, quelqu'un d'autre avait essayé de m'empêcher de partir ainsi, mais plus rapide j'ai réussi à me retrouver sur la route. Le vent me frappait avec une force telle que je progressais en zigzaguant d'un côté à l'autre, l'eau m'aveuglait, mais j'étais certaine d'arriver jusqu'à lui. C'était parfaitement stupide puisque la distance qui nous séparait du phare était trop grande pour que quiconque puisse la franchir dans ces conditions-là, mais j'étais persuadée que mon amour pour lui allait me porter. C'est cette nuit que j'ai compris à quel point l'optimisme humain est invincible! Un camion roulait sur la route. Un gros camion qui par miracle parvint à s'arrêter et à me faire monter. «On lui doit bien ça, me disait le conducteur. Il faut l'aider le capitaine. Il est tout seul là-bas au phare, on ne peut pas le laisser.» Comment sommes-nous parvenus à destination? Les pêcheurs se taisaient, moi je tremblais de froid et de peur, le camion tanguait, mais avançait.

Au bout de la route, les vagues se déversaient autour de la base du phare et la haute structure blanche paraissait surgir de l'eau, tel un fantôme. Nous avons été obligés de nous arrêter et d'attendre sans trop savoir quoi; l'écroulement du phare, la fin de la tempête et plus simplement la lumière du jour pour mieux constater à quel point la situation du camion lui-même était précaire, puisque les freins pouvaient lâcher n'importe quand et nous pouvions glisser dans la mer et être emportés par les vagues. Même moi j'étais consciente de cela! Et puis après une interminable attente où personne ne devait bouger de sa place pour ne pas déstabiliser encore davantage le camion et où nous osions à peine respirer, le vent se calma brusquement. À l'horizon une boule rouge commença à émerger des vagues. Les nuages étaient balayés. Une belle journée commençait. La première journée ensoleillée de cet automne-là!

Quand le capitaine m'aida à descendre du camion, j'ai entendu très distinctement son rire, puis mes propres questions. C'est à croire qu'une certaine qualité de bonheur peut guérir une petite fille malade. Pensez-vous que cela soit possible? Moi je n'en sais trop rien, mais cela me fait plaisir de l'imaginer. Autant en profiter, n'est-ce pas, et cela d'autant plus que le recul des années aidant, rien ne saurait être inconcevable en la matière...

Elle était belle, Bernadette

Jean Royer

Depuis un quart de siècle, Jean Royer mène de front une double carrière de journaliste littéraire et de poète. Auparavant, il était passé de la réalisation radiophonique à l'enseignement de la littérature. Sa carrière journalistique s'amorce à Québec où, de 1963 à 1973, il tiendra et dirigera la chronique littéraire d'abord à L'Action puis au Soleil. Il se joint ensuite à l'équipe du DEVOIR et il assume la direction des pages culturelles de ce quotidien entre 1978 et 1982.

Poète et essayiste, Jean Royer entretient une histoire d'amour avec les artisans du mot et l'image poétique. Il est de nombreuses aventures qui tissent la chronique de la vie poétique à Québec et à Montréal. On le voit s'associer à l'équipe de fondation de nombreuses revues. Il participe directement à ces fameuses «nuits de la poésie» qui ont marqué toute une génération durant les années 70. Il contribue à fixer l'image de Félix Leclerc dans le grand livre des lettres québécoises à la faveur de quelques grandes interviews qui constituent des références obligées.

La littérature québécoise, il s'en fait le propagandiste et l'illustrateur à la faveur de ses *conférences, ici comme de l'autre côté de l'Atlantique. Il cisèle l'entretien littéraire et porte le genre à un degré de perfection, comme en témoignent la série d'ouvrages publiés sous le titre* Écrivains contemporains, *en cinq tomes, aux éditions de l'Hexagone. Auteurs d'ici et d'ailleurs se sont confiés au journaliste, qui ne se départit jamais de son regard de poète.*

*Poète avant tout, Jean Royer a signé des anthologies de la poésie d'ici (*La Poésie québécoise contemporaine. Anthologie, La Découverte et l'Hexagone, 1987). *Son œuvre mérite d'ailleurs une place particulière dans ce florilège de la poésie des voix de la Révolution tranquille. Hanté par le thème de l'amour, il écrit, de recueil en recueil, un hymne personnel à cette réalité idéale. On lira avec ravissement* Depuis l'amour *(Hexagone, 1987) qui lui a valu pas moins de trois prix ici et en France.*

L'Hexagone a eu l'heureuse idée de rééditer, dans sa collection-poche Typo, l'ensemble de cette poésie sous le titre-programme de Poèmes d'amour *(1990).*

Été 1949. Dans la poussière de la cour, en plein soleil, sept ou huit cuvettes remplies d'eau fraîche. C'est une baignade d'enfants de la basse-ville de Québec, au pied du cap: mes trois jeunes sœurs, Paule, Francine et Odette, mon frère Louis, nos deux amis les frères Talbot, et Bernadette, notre voisine, qui a le même âge que moi, onze ans. Tout ce petit monde passe un après-midi de canicule dans la piscine improvisée par ma mère.

Pour la circonstance, je porte mon costume de bain vert, à l'ancienne, avec cette manche unique en laine que ma mère a cousue, afin de soustraire au regard des curieux mon petit bras droit, celui qui avait été empêché de grandir dans son ventre, étouffé par le cordon ombilical, et qui m'oblige aujourd'hui à répondre à l'étonnement des gens: «C'est de naissance.» Certes, je me sens mal à l'aise dans ce costume, mais je tiens à participer aux mêmes activités que les autres enfants.

Quand elle me voit arriver dans cet accoutrement, Bernadette éclate de rire, puis s'aperçoit de sa gaffe et devient silencieuse. Moi, je fais mine de rien.

Mon amie est un peu grande pour se plier en deux dans la cuvette. Ses petits yeux rieurs sont aussi noirs que ses cheveux en couettes. Elle est moins jolie que mes sœurs, Bernadette, avec ses oreilles immenses, son nez camus, son menton avancé. Mais elle n'est pas laide non plus. Son mince cou blanc rejoint ses épaules rondes et ses longues mains se referment sur le bord de la cuvette.

Nous nous arrosons joyeusement. Les garçons s'amusent des cris des filles. Les plus jeunes pleurnichent. Bernadette, sans doute inconfortable dans sa cuvette, finit par se lever. Sous son maillot mouillé ses deux petits seins naissent devant mes yeux. Mon cœur se met à battre très fort. Mon sang s'échauffe. La tête me tourne. Bernadette m'apparaît pour la première fois. Sa silhouette effilée me bouleverse. Je la contemple en rougissant.

Après le souper, Bernadette vient me rejoindre dans la ruelle. Elle porte sa robe-matelot et ses cheveux tombés sur les oreilles. Nous aimons fureter à la grande porte de l'atelier de l'École des Beaux-Arts qui ouvre sur la ruelle. Ce soir, c'est le professeur gentil, avec ses petites lunettes rondes et son éternel béret, monsieur Jean-Paul Lemieux, qui donne un cours de dessin. Une femme nue pose pour les étudiants des cours d'été. On la voit de dos. Les artistes sont appliqués. Monsieur Lemieux fait le tour des chevalets en donnant des conseils. Quand il nous aperçoit dans la ruelle au bord de la porte, il nous fait signe gentiment de déguerpir.

Il fait terriblement chaud. Nous sommes adossés au mur du hangar dans l'humidité de la cour. Je suis excité soudain de me retrouver seul avec Bernadette. Elle a attrapé un coup de soleil sur le nez. Elle a ce soir un air espiègle. Nous aimons rire ensemble. C'est ce qui me fait préférer sa compagnie à celle des garçons. Elle me parle de sa sœur équilibriste, qui vit dans un cirque avec son amoureux. Puis elle me regarde en rougissant: «Il paraît que les garçons grandissent quand ils aiment une fille», dit-elle en me fixant droit dans les yeux comme si elle devinait ce qui se passe en moi.

Il me vient alors une idée folle: «Pourquoi n'irions-nous pas marcher tous les deux sur les Plaines d'Abraham et nous baigner au Cap Blanc?» — «Demain, peut-être», acquiesce Bernadette en baissant les yeux.

Je connais le chemin. Nous y sommes allés quelques fois avec mon père. Il faut descendre le grand escalier de bois des Cove Fields, près de la Citadelle, pour arriver au fleuve. Bernadette a pu s'esquiver de chez elle. Cependant, nous ne sommes pas seuls. Ma sœur Paule pleurait pour venir avec nous!

Sur le trottoir, ma jeune sœur nous précède. Je marche à la droite de Bernadette. Je n'ose pas lui prendre la main. Je la regarde intensément. Elle me sourit. Je suis fier de me promener en

ville à côté d'elle. Nous marchons du même pas.
Nous ne parlons pas beaucoup mais, j'en suis
sûr, le même émoi conduit notre promenade. La
fraîcheur des arbres me ravit, dans l'escalier qui
descend à la plage. Bernadette donne la main à
Paule pour l'aider à bien prendre les marches.

Je retrouve l'emplacement du vieux quai où
mon père nous emmène parfois. Des mouettes
tournoient au-dessus de nos têtes. L'eau du
fleuve est verte. L'immensité des lieux me rend
euphorique. Bernadette me tourne le dos: elle
portait son maillot noir sous sa robe qu'elle vient
de retirer. Paule enlève sa jupe à son tour pour
mettre les pieds à l'eau.

Moi, je porte pour la première fois mon
caleçon de bain bleu. J'ose enlever mon gilet.
Presque nu devant les deux filles, je saute à
l'eau et je les éclabousse. Rires et cris. Puis un
grand silence. Le sang me cogne aux tempes. Je
boirais toute l'eau du fleuve. Bernadette est
belle! Je fais mine de la pousser dans l'eau mais
c'est un geste pour me rapprocher d'elle. Je suis
ébloui. Elle sait nager. Pour la première fois, je
ne suis pas gêné de laisser voir mon bras «in-
firme» par une étrangère. Paule s'interpose
entre nous pour qu'on ne l'oublie pas.

Au retour, à l'ombre d'un arbre, je poserai ma
main sur l'épaule de Bernadette, puis je glisserai
mon bras autour de sa taille. Sans rien dire. Son
regard m'interrogera. Elle voudra sans doute
que je lui parle mais je ne le pourrai pas.

Ce soir, j'irai retrouver dans les livres d'art de mon père le beau corps de Bernadette. Je le reconnaîtrai peut-être dans la légèreté lumineuse de *La Naissance de Vénus* de Botticelli, un de mes tableaux préférés.

*   *   *

Je n'ai jamais reparlé à Bernadette de notre baignade. Ni plus tard à Claudette des baisers de nos dix-sept ans. Ni même à Clairette, cette comédienne qui aimait tant parler en groupe et qui se taisait mystérieusement aussitôt que nous nous retrouvions seuls, émus d'être ensemble tous les deux.

Je ne savais pas comment parler aux filles. On ne m'avait jamais rien dit d'elles, ni au sujet de mon corps. Comment les aimer d'une seule main? Si au moins j'avais su les embrasser. Si au moins j'avais osé leur tenir la main. Une seule fois. J'avançais dans l'amour sans me connaître. Avec la crainte de n'être jamais aimé tel que je suis. J'avais souvent le cœur lourd de tant d'élans retenus dans ma tête.

Elle était belle, Bernadette!

Je voulais voir la mer...

Nathalie Petrowski

Enfant terrible du journalisme culturel de la métropole, Nathalie Petrowski a associé son nom et son talent aux meilleurs moments des pages artistiques du DEVOIR depuis bientôt 15 ans. Ses interviews avec les vedettes du monde artistique, ses critiques en coup de cœur ou à griffes dégagées, ses «humeurs» hebdomadaires lui valent une cote bien particulière auprès des lecteurs de ce journal de même que dans certaines publications comme L'Actualité.

Ses papiers, servis par une prose imaginative, lui ont mérité coup sur coup deux des plus prestigieux prix du journalisme québécois: le prix Jules Fournier, à sa première édition (1981), et le prix Judith Jasmin, en 1983.

En 1983, elle publie Notes de la salle de rédaction, *en réunissant un certain nombre de chroniques publiées dans LE DEVOIR, enrichies de notes inédites d'une même veine d'originalité qui ne craint pas d'égratigner, ni de choquer. C'est d'ailleurs à cette enseigne qu'il faut inscrire le souvenir de la célèbre polémique qui l'opposa, il y a quelques années, à la comédienne française Annie Girardot.*

Familière du petit écran où on la voit à de nombreuses émissions culturelles, elle tente, en 1987, une incursion dans le domaine du cinéma en imaginant, avec la complicité de l'ONF, un regard sympathique sur la tournée américaine du Cirque du Soleil.

Elle publie, cet automne, son premier roman aux Éditions Boréal: Il restera toujours le Nebraska.

Je n'avais jamais vu la mer. J'allais bientôt avoir cinq ans. Le monde entier me restait encore à découvrir: le monde et ses environs. Mais l'insistance que mes parents mettaient à me parler de la mer et de l'importance du jour où je la verrais pour la première fois m'avait convaincue que la mer allait changer ma vie. Avant notre départ, mes parents avaient même décrété que ce serait en quelque sorte mon vrai baptême, le premier ayant eu lieu à un âge informe où je ne faisais pas encore les nécessaires distinctions entre les éléments et les êtres humains. La mer changerait tout cela. Je la voyais déjà. C'était un bain tourbillon turquoise où j'avancerais la tête haute et le pied déterminé, qui m'accueillerait à bras ouverts avant de me baptiser de son eau salée.

Notre cortège s'est ébranlé aux petites heures du matin. La Citroën déglinguée de mon père croulait sous le poids des bagages et de la tente qui nous servirait de chaumière pendant deux semaines. Nous étions tellement chargés que la Citroën penchait d'un côté comme une outre sur le point de crever son abcès. La Citroën n'était pas la seule obèse de l'histoire. Il y avait également ma mère, enceinte jusqu'aux oreilles et arborant fièrement son ventre comme un ballon de plage dans lequel j'aurais aimé donné un grand coup de pied de dedans. Non pas que j'entretenais la moindre hostilité à l'endroit de ma mère mais son ventre qui enflait à vue d'œil m'inquiétait. Je ne savais trop quel terrible secret allait en jaillir. Et puis il n'y avait pas que l'inquiétude, somme toute normale, il y avait aussi la jalousie, un tant soit peu légitime pour l'enfant unique que j'étais. C'était peut-être la première fois que j'allais voir la mer mais aussi la dernière fois que je passerais l'été seule avec mes parents. Et la perspective de partager tous mes futurs étés avec un inconnu ne me réjouissait pas plus que nécessaire, même que cette perspective me poussait à bouder comme seuls les enfants sur le point de ne plus l'être savent le faire jusqu'à épuisement.

Nous avons traversé la frontière des États-Unis avec l'aube et en prenant ma première bouffée d'air américain, j'ai cru que c'était fait et que la mer mythique n'était plus qu'à portée de main. Je fus cruellement déçue en découvrant que nous en avions encore pour toute la journée à rouler en sol américain, toute une journée à loucher du côté du ventre de ma mère dont j'avais peur à chaque instant qu'il éclatât de rage ou de joie.

Le voyage a duré un peu moins de douze

heures par une chaleur torride et un soleil
implacable qui faisait gondoler la route et fondre
le béton des milliers d'autoroutes que nous fran-
chissions sans jamais nous arrêter sinon pour
nous soulager dans des toilettes bondées de
grosses américaines en bermudas ou siroter un
Coke dans un Howard Johnson qui sentait le
javellisant. Plus nous roulions, plus je me faisais
du mauvais sang. Je ne comprenais pas pourquoi
la mer était si loin ni pourquoi il fallait passer
par l'enfer avant de s'y tremper les pieds.
Lorsque l'air marin saturé d'iode et d'embruns
s'est frayé un chemin jusqu'à la Citroën, je
n'étais plus que l'ombre ramollie de moi-même.
À travers mes paupières lourdes, je voyais le
profil de mes parents découpé contre l'horizon de
la banquette avant, ma mère à moitié endormie
avec la bouche ouverte et la main sur son ventre,
mon père, les sourcils froncés, le regard obstiné
et le bras gauche pendant à l'extérieur de l'auto
et brûlé par le soleil au point d'afficher une couleur cramoisie. Je regardais mes parents en
pensant que bientôt il y aurait une petite personne entre eux et moi, une petite personne qui
sillonnait présentement le cosmos ou l'univers et
qui nous avait peut-être repéré sur l'autoroute en
se disant: chic alors, une bande d'idiots chez qui
je vais pouvoir m'installer sans invitation.

  Les premières dunes de sable sont apparues
à l'horizon contre la boule de feu du soleil. Il
devait être six heures. La tête par la fenêtre, je

suivais la silhouette des dunes qui s'élevaient comme des châteaux de sable piqués de brindilles d'herbes et séparés par un mince cordon de béton sur lequel nous avancions avec ravissement. Cette fois, c'était vrai, nous arrivions.

Toute la lourdeur de la journée s'est évanouie lorsque nous avons franchi les portes du terrain de camping tapi sous les pins et les cèdres rafraîchissants. Nous avons suivi la route de sable et aperçu les premiers habitants du campement. Ils nous ont envoyé la main sans même nous connaître et même si j'ai trouvé cela étrange, je leur ai rendu leur geste comme si je faisais campagne pour gagner mes prochaines élections.

Je n'ai pas vu la mer ce soir-là. Mes parents étaient trop épuisés et puis il fallait monter la tente et bâtir maison sur cette nouvelle terre d'accueil qui ressemblait à un gros carré de sable peuplé d'enfants qui jouaient à la dînette en carbonisant leurs steaks et en polluant les environs. Je me suis endormie en comptant les moustiques et les lucioles qui se bousculaient aux portes de la tente. La mer m'a visitée pendant mon sommeil. Elle avait envahi le campement et s'infiltrait dans toutes les tentes, d'abord timidement par le filet d'un ruisseau puis avec de plus en plus d'insistance. Je me suis réveillée lorsqu'une grosse vague s'est écrasée sur moi comme un pan de mur. Sur le coup, j'ai cru que j'allais me noyer. Il était 5 heures du matin. Mes parents dormaient comme des ours obstinés. Pas moyen d'en tirer quoi que ce soit sinon des grognements. Et dire que la mer m'attendait au loin, la mer dont j'entendais distinctement le terrible grondement.

Vers 9h, les ours ont commencé à bouger, à ouvrir les yeux, à bâiller, à s'étirer. Mon père semblait de bonne humeur, ma mère, un peu plus pâle qu'à la normale. Elle s'est pourtant levée la première pour nous presser des oranges fraîches et pour couper de belles grosses tranches de pain frais. Sans interrompre la mécanique bien huilée de ses gestes, elle s'est mise à se plaindre de la lourdeur de son ballon. Je connaissais la chanson. Un jour sur deux, ma mère se révoltait contre son état. Elle blâmait le monde et l'univers de l'avoir transformée en gros sac vert. Elle disait aussi qu'elle allait accoucher au moment où on s'y attendait le moins, dans une voiture ou dans un champ. Le lendemain ou même quelques heures plus tard, elle ne se souvenait plus de ses paroles ni de son anxiété et s'émerveillait des moindres coups de pieds que lui lançait le locataire de son ventre. Ce matin pourtant, la chanson était différente. Ma mère n'en finissait plus de chanter son épuisement sur un air funéraire. Elle n'aurait jamais dû faire le voyage, maugréait-elle en tranchant les oranges. Du côté de la cafetière qui gargouillait, mon père tentait en vain de la rassurer. Ma mère ne voulait rien entendre. Elle était persuadée que son ballon allait se dégonfler.

J'ai vu la mer ce matin-là pour la première fois de ma vie. Elle était beaucoup plus grosse que la piscine turquoise de mes rêves. Beaucoup plus froide aussi. Mes parents m'ont poussée gentiment jusqu'au pied de ses vagues écumantes. La marée était basse et le sable mouillé. Je me suis avancée timidement en refoulant un terrible sentiment d'impuissance devant son immensité. J'avais cinq ans et pourtant ce matin je ne me sentais pas plus grosse que le poing qui bougeait dans le ventre de ma mère. Le ressac des vagues venait me chatouiller les chevilles. Des petits cailloux roulaient contre mes pieds et puis tout à coup j'ai aperçu une grosse assiette grise qui culbutait dans les vagues. L'assiette a été projetée contre mes pieds et je l'ai laissée m'effleurer à plusieurs reprises. C'était une drôle d'assiette, plate, rigide et oblongue, qui semblait imperméable à l'eau. Elle est partie en culbutant et en me laissant un drôle de picotement aux jambes. En moins de cinq minutes, le picotement est devenue brûlure et mon pied gauche s'est mis à enfler. Sur le coup j'ai cru que c'était l'effet de l'eau salée sur ma peau. J'ai couru jusqu'à mes parents pour leur raconter mon histoire et leur montrer fièrement mon enflure. Mais devant leur étonnement et leurs questions persistantes sur l'identité de l'assiette, j'ai compris que quelque chose ne tournait pas rond. Une heure plus tard, le pharmacien déroulait un immense ruban de gaze en m'expliquant

que les assiettes qui rasaient la plage et frô-
laient ainsi les baigneurs étaient mieux connues
sous le nom de raies.

J'ai passé le reste de la journée sur ma
serviette de plage en me disant que si c'était ça
la mer, je pourrais très bien m'en passer. Ma
mère était du même avis. Elle n'en finissait plus
de tenir son ventre et d'exhorter mon père à
quitter ce lieu piégé. Cette nuit-là, ma mère s'est
réveillée en se tordant de douleur. Elle a secoué
mon père pour lui annoncer que ça y était. Mon
père s'est gratté la tête en disant que ça ne se
pouvait pas, le bébé ne devait arriver que dans
un mois. Ma mère a insisté en se tenant le
ventre et en grimaçant à chaque nouvelle
crampe. Alors ce que je redoutais le plus depuis
notre départ s'est produit. Mes parents se sont
levés en pleine nuit et m'ont plantée là sous la
tente sans même me demander mon avis. Ils
sont partis en catastrophe sans même savoir où
ils allaient et en faisant un tel ramdam que tous
les chiens des alentours se sont mis à aboyer. À
travers la moustiquaire de la tente, j'ai vu distinctement la lune me narguer en prenant la
forme ovale d'une raie. La brûlure de mon pied
s'est mise à m'élancer et pour l'oublier, je me
suis mise à pleurer de peur, de rage et de déses-
poir. Au loin, la mer continuait son terrible grondement.

Mes parents sont revenus à 6 heures du
matin en affichant un drôle d'air. J'ai cherché du

regard le paquet ficelé du bébé pour me buter une fois de plus au ventre mur de ma mère. C'était une fausse alerte, m'a-t-elle annoncé en souriant faiblement. Comment va ton pied? Mon pied allait mieux, même qu'il refoulait une envie folle de le lui montrer. Quant à ma bouche, elle n'a pas pu s'empêcher de dire qu'elle en avait assez et qu'elle voulait rentrer à la maison immédiatement.

Je ne me suis pas rebaignée dans la mer de la semaine. Devant ma mine renfrognée, mes parents ont décidé d'écourter les vacances. J'ai regardé la mer une dernière fois avant de partir. Je savais que j'y reviendrais mais que ça ne serait plus jamais pareil. Une petite personne serait désormais entre elle et moi. Une petite personne avec qui je devrais désormais tout partager.

Le temps
d'une guerre

Jean O'Neil

Avant de se consacrer à la littérature, Jean O'Neil a fait la tournée du Québec journalistique avec un crochet au sein de la fonction publique du Québec.

Voilà déjà un quart de siècle qu'il pratique l'écriture romanesque et théâtrale. C'est d'ailleurs côté jardin qu'il a fait son entrée dans le monde littéraire du Québec, où l'on a salué avec intérêt la création de Les Bonheurs-Z-essentiels *et de* Les Balançoires, *milieu des années 60, début des années 70.*

Au même moment, il entame une œuvre romanesque où il fait entendre un ton original, parfois discordant. On se souvient de Je voulais te parler de Jérémiah, d'Ozélina et de tous les autres... *(HMH, 1967). Et puis, silence prolongé.*

En 1980, O'Neil publie Cap-aux-Oies *(Libre Expression, 1980). Il amorce alors une quête inédite où l'enfance et l'histoire semblent lui inspirer une nouvelle manière. Il jette un regard différent, attendri et ironique tout à la fois, sur le milieu québécois. Il envisage société et culture à travers un prisme personnel qui surprend agréablement, tout en bousculant lieux communs et idées reçues.*

Ses deux derniers ouvrages confirment et peaufinent cette orientation. Dans Gabzou *(Libre Expression, 1990), il entame avec l'enfance retrouvée un dialogue en forme de courts tableaux.* Promenades et Tombeaux *(Libre Expression, 1989) glisse insensiblement vers une forme d'introspection. En visitant tombeaux et hameaux oubliés, l'auteur utilise les matériaux de la petite histoire locale pour cerner son attachement à des lieux, à des événements. On lira avec émotion son pèlerinage au tombeau du poète Alfred Desrochers, dans ce même ouvrage qui s'achève par un regard sur l'enfance disparue, mais intériorisée.*

Été 1939

J'ai deux ans et demi et, ce soir, je couche pour la dernière fois dans ma chambre de la rue Brooks dont je n'oublierai jamais les carreaux rouges de la fenêtre.

Mes parents ont acheté une fermette en banlieue et nous déménageons demain.

Aujourd'hui encore, je revois le camionneur emportant ma chaise haute mais c'est à peu près tout. Mes parents n'ayant pas d'auto, j'ignore comment je suis passé de l'appartement à la maison nouvelle. Toutefois, je ne puis oublier le talus où je me suis retrouvé assis et où j'ai fait une découverte importante: l'herbe.

Mes frères galopent dans les champs et sur le terrain de golf en face de la maison. Moi, je reste sur le talus avec mon béret blanc et papa vient m'y rejoindre pour une photo que je conserve toujours.

Le haut de la maison n'est pas encore lambrissé partout et je me cache parfois sous les combles pour jouer avec ma poupée.

Puis, le 1ᵉʳ septembre, à quatre heures du matin, on frappe à la porte et c'est Urgel.

— Viens-t'en au bureau, Louis. Il faut sortir une édition spéciale: la guerre est déclarée.

Avec mes frères, je descends voir ce qui se passe. Maman pleure.

— Venez, on va faire une prière parce qu'avec la guerre, nous n'arriverons jamais à payer la maison.

Été 1940

On m'a découvert une hernie à l'aine, du côté droit. Maman a une sœur religieuse à l'Hôtel-Dieu de Québec et c'est là que je serai opéré. Tante Adine veillera sur moi et tante Antoinette, qui reste tout près, rue Desjardins, viendra me voir et m'apportera un cadeau tous les jours. Je ferai ensuite une convalescence de deux semaines chez elle et j'aurai toujours très peur du chien, le labrador du Docteur Delainey, enfermé dans la cour, qui se dresse sur ses pattes arrière et qui s'appuie sur la fenêtre pour me dire bonjour avec un «woof» retentissant.

De retour à Sherbrooke, je suis encore condamné aux environs de la maison, mais j'ai maintenant une petite sœur de sept mois, Claire, qui m'amuse beaucoup, et j'aide maman à lui faire sa toilette.

Été 1941

On m'a découvert une hernie à l'aine, du côté gauche. Même scénario que l'an dernier mais comme je suis un peu plus conscient, je trouve ça plus pénible. Je voudrais pleurer toute la journée. Las! dans le lit voisin, il y a un petit garçon de Saint-Pacôme qui ne fait que ça, pleurer, et je vois bien que cela n'est pas beau.

Durant ma convalescence, tante Tony m'a acheté une ferme avec des animaux en papier mâché et, de retour à la maison, je me retrouve à quatre pattes dans le plantain de la cour. Je fais des clôtures, je pacage mes troupeaux et j'apprends le maniement des machines aratoires.

Puis, le 9 juillet, il m'arrive une deuxième petite sœur, Louise, comme ça, par hasard, tandis que mes frères continuent de courir les champs, les bois et les voisins en rapportant, au souper, des histoires de couleuvres, de grenouilles et de cerises grappillées le long des haies.

Été 1942

Je ne puis encore suivre mes frères partout mais je puis au moins laisser le talus et la cour.

J'ai même la permission d'aller jusqu'à la rigole, où je regarde les canards piquer du nez dans la vase pour attraper j'ignore quoi. Je vais, au poulailler, assister à l'éclosion d'un caneton. Il a cassé une partie de sa coquille et on voit une patte qui gigote. Sur les conseils d'un voisin, maman le dépose dans le réchaud du poêle à bois où il achèvera d'éclore. Nous le garderons quelques semaines dans une boîte de carton, le nourrissant d'une pâtée de lait et de pain.

Et je joue dans la grange. Je saute dans le foin avec des cris de triomphe, comme si j'étais le trapéziste de Barnum and Bailey.

Quand il pleut, je puis passer des heures à regarder les images dans l'*Encyclopédie de la Jeunesse*.

Été 1943

J'ai eu six ans en décembre dernier et j'entrerai à l'école en septembre. J'ai très hâte mais Pierre rit de moi.

— Faut-y être fou pour avoir hâte d'aller à l'école!

Lui, il entrera en troisième année et il connaît bien l'affaire.

Nous avons de nouveaux voisins en haut de la côte, les Pépin. Il y a trois enfants Pépin,

Raymond, Gilles et Murielle. Murielle, de mon âge, sera ma compagne pour la longue marche de 2,2 kilomètres, matin et soir, de la maison à l'école et de l'école à la maison. Mais mon ami, d'un an mon aîné, ce sera Gilles.

La grange des Pépin est beaucoup plus grande que la nôtre et nous y jouons de fameuses parties de cache-cache.

Été 1944

Je découvre mes voisins d'en face, Evelyn, Mostyn et Jimmy, de même que leurs cousins et cousine d'à côté, Philip, Buddy, Rodger et Agnes Fay. En jouant avec eux j'apprends l'anglais. J'apprends également à me masturber. Pendant un certain temps, je croirai même que c'est un jeu anglais. Et les Bradley ont une grange immense où les parties de cache-cache sont interminables.

Je puis maintenant m'aventurer sur le terrain de golf en suivant le ruisseau qui part derrière la grange. Je découvre les têtards que Gilles appelle queues-de-poêlon. Nous en attrapons pour les mettre dans des bocaux mais ils meurent toujours. Nous attrapons également des sauterelles dans nos mains en leur disant:

— Donne-moi d'la m'lasse ou ben j'te tue!

Je n'ai jamais goûté à ce qu'elles laissaient dans ma main mais je ne me rappelle pas en avoir tué.

Le soir, quand papa et maman veillent sur la galerie, nous courons sur le gazon ou nous nous agenouillons autour d'eux pour la prière. Avant d'aller nous coucher, nous comptons les étoiles et les mouches à feu.

Été 1945

Il paraît que la guerre va finir aujourd'hui. Si c'est le cas, les usines feront hurler leur sirène et les églises, sonner leurs cloches.

Le tout survient à deux heures et demie, pendant la leçon d'arithmétique, et Sœur Thérèse nous fait mettre à genoux dans la classe.

— Gloire soit au Père, au Fils et au Saint-Esprit...

On nous renvoie à la maison. Quand nous arrivons, Georges, Pierre et moi, maman est à genoux dans sa plate-bande, en train de sarcler autour des cœurs saignants. Au loin, les cloches sonnent encore.

— Maman, maman, la guerre est finie!

Maman le sait mais, secouée par l'émotion, elle nous embrasse et pleure abondamment. Ensuite, elle retourne à ses cœurs saignants.

Bientôt, le père de Philip, Buddy, Rodger et Agnes Fay revient de guerre, et nous jouons sur la pelouse avec son fusil et son casque.

Grâce à Louis, ce sera un des grands étés de ma vie. Les scouts l'ont emmené au Key Brook, à 20 kilomètres de chez nous, et il a trouvé ça tellement beau qu'il a décidé de nous le montrer. Longue promenade, baignade et pique-nique avec, je me souviens très bien, des sandwichs au concombre et de la limonade.

Nous avons suivi les chemins pour nous y rendre mais Louis a trouvé ça trop long et, pour le retour, il coupe à travers les champs et les bois. Je traîne de la patte mais je suis. Je découvre ainsi le petit ruisseau du rang quatre et, surtout, le grand marécage dans les bois du père Smith.

C'est à mourir de peur. Les quenouilles me dépassent de deux pieds et je dois les écarter prudemment pour ne pas trop me mouiller les pieds. Ici et là, des arbres morts s'étirent au-dessus de moi comme des fantômes et tendent parfois une branche squelettique pour proférer une malédiction.

On dirait une sorte d'enfer vert, et j'en suis fasciné.

Demain, je reviendrai seul. Je verrai des salamandres et des grenouilles, du chou puant et des petis prêcheurs. Je demanderai à papa s'il a des livres qui expliquent ça. Il n'en a pas.

Ma curiosité est piquée pour la vie, même si je serai souvent seul avec elle.

Vues d'en bas,
les maisons de bois
se ressemblaient toutes

Francine D'Amour

Un premier roman et, coup sur coup, deux prix: l'entrée de Francine D'Amour dans les lettres québécoises n'est pas passée inaperçue! Son premier roman, Les dimanches sont mortels *(Guérin, 1987), lui vaut le Prix Guérin et, quelques mois plus tard, le Prix Molson, héritier de la filière du Cercle du Livre de France.*

Des études en lettres à Nice et à Ottawa destinent cette jeune romancière à l'enseignement. C'est au Cégep Montmorency, à Laval, qu'elle explique, depuis une décennie déjà, les auteurs et les œuvres à une génération de collégiens et de collégiennes.

En sortant du rang, cette enseignante ne rate pas son effet. Son premier roman surprend la critique, à commencer par Jean Éthier-Blais. Drame de l'alcool, relation difficile entre père et fille, la trame est dense, le ton, intimiste. Le dialogue s'efface pour céder tout le terrain au monologue intérieur. C'est, semble-t-il, la manière D'Amour.

On retrouve le même ton dans Les Jardins de l'Enfer, *(VLB, 1990). Niché dans les îles Galapagos, entre mythe et mystère, le drame d'un* homme en rupture de ban avec famille et milieu emprunte un cheminement original.

Fête de l'écriture, les deux premiers romans de Francine D'Amour témoignent d'une double maîtrise de l'introspection psychologique et de la construction littéraire.

Dans le brouhaha de l'arrivée, personne ne l'avait vue sortir. Le voyage avait été interminable, mais elle avait dormi pendant presque toute la durée du trajet. C'était à peine si elle se rappelait que papa l'avait prise dans ses bras et transportée à l'intérieur de la maison, où, en dépit de ses efforts pour rester éveillée, elle s'était presque aussitôt rendormie. C'était peut-être l'effet du médicament que maman lui avait donné avant de partir. D'habitude, elle n'était pas sujette au mal des transports, mais c'était la première fois qu'elle entreprenait un aussi long voyage: aussi «mieux valait-il prévenir que guérir», comme l'avait dit maman. En ouvrant les yeux, elle avait été étonnée de ne rien reconnaître du décor qui l'entourait. Elle était ailleurs. Cela avait quelque chose de troublant, d'inquiétant, mais, en même temps, d'excitant. De grands draps blancs recouvraient les meubles qui avaient l'air de fantômes. Un peu effrayée, elle avait appelé sa grande sœur, qui lui avait donné un bout de chocolat en lui faisant promettre de se tenir tranquille. Elle avait promis, mais elle s'était levée dès qu'Hélène avait eu le dos tourné.

La maison était grande à se perdre. Elle en avait fait plusieurs fois le tour, explorant les coins et les recoins, multipliant les découvertes. Dans une garde-robe, elle avait déniché un mannequin en osier, qui l'avait fait sursauter parce qu'il n'avait pas de tête; puis, elle s'était cachée à l'intérieur de l'horloge grand-père, mais personne ne l'avait trouvée, ni même cherchée; en haut de l'escalier, il y avait une ouverture grillagée pratiquée dans le plancher, par où elle avait épié ce qui se passait à l'étage au-dessous. Il régnait là une grande agitation. Grand-maman rangeait les provisions dans la cuisine, maman retirait les housses qui recouvraient les meubles, papa allait et venait en transportant des valises. Comme elle commençait à s'ennuyer, elle avait eu l'idée de descendre au rez-de-chaussée et de défaire les bagages qui s'amoncelaient dans le vestibule. Elle avait fait des tas avec les shorts, les maillots, les sandales, les serviettes de plage, les tubes de crème, les médicaments, les livres, les jouets. Le jeu consistait à trier les objets de même nature, forme ou couleur, et à les rassembler. Valises, cartons, sacs à main, trousses de toilette: elle avait presque tout déballé. Les tas s'alignaient d'un bout à l'autre du corridor, telles des barrières le long d'une course à obstacles. Elle s'était amusée à les franchir, mais maman, qui avait buté contre un enchevêtrement de pelles et de seaux entassés au pied de l'escalier, avait mis fin à ce nouveau jeu. «Va jouer avec Hélène, tu vois bien que tu es dans mes jambes!», s'était-elle écriée en la poussant vers la véranda, où sa grande sœur faisait une patience. Peut-être Hélène accepterait-elle de jouer à la bataille avec elle? Mais sa sœur, qui, cet été-là, portait un corset de plâtre l'emprisonnant de la taille jusqu'au cou, n'avait pas aussitôt terminé sa patience que, déjà, elle en avait commencé une autre. Et le jeu de cartes l'absorbait tant qu'elle n'avait même pas levé la tête quand le vent avait claqué la porte.

Le choc avait été total. Un spectacle extraordinaire l'attendait au dehors. La véranda donnait sur une galerie ouverte qui surplombait la mer. Rien ne venait entraver le regard qui se perdait dans l'immensité grise, car la mer était grise, elle n'était pas bleue comme sur les images de son livre préféré, celui qu'elle avait dû laisser en ville parce que maman avait jugé qu'il était trop encombrant. C'était un grand livre illustré qui racontait le voyage en mer d'un guerrier et de ses compagnons. L'«odyssée», comme disait papa quand il lisait, avait duré des années. Tout au long du voyage, le guerrier, qui s'appelait Ulysse, avait rencontré toutes sortes de créatures extravagantes: des géants qui n'avaient qu'un œil, des monstres marins qui surgissaient des flots, des sirènes qui ensorcelaient les voyageurs. Vivrait-elle un jour des aventures aussi enivrantes? Pourquoi pas? À

cinq ans, n'était-elle pas déjà devenue une voya-
geuse?

En descendant l'escalier qui menait à la
plage, elle avait compté les marches. Il y en
avait dix-sept, et la septième était branlante.
Vues d'en bas, les maisons de bois se ressem-
blaient toutes. Il n'y avait pas un seul arbre sur
la dune où elles s'alignaient. Plusieurs étaient
vertes comme la sienne. Certaines étaient si
vieilles qu'elles penchaient un peu. Les plus
spacieuses étaient flanquées de tourelles comme
les châteaux. La sienne n'en possédait pas, mais
elle était dotée d'un pignon orné d'un «œil-de-
bœuf»; c'était sa grande sœur qui lui avait appris
le mot.

Le sable crissait sous ses pieds nus. Elle
avait retiré ses sandales de plastique et les avait
abandonnées sur la dernière marche de l'escalier. C'était amusant de courir sur la plage en
soulevant le sable qui retombait en nuages. Il
devait être tard, car les quelques vacanciers
avaient presque tous plié bagage. Un garçon
l'avait poursuivie un moment, mais il s'était
lassé parce qu'elle courait beaucoup plus vite
que lui. Le sable était blanc comme le sucre en
poudre que maman mettait dans ses gâteaux. Il
piquait les yeux, aussi valait-il mieux faire des
pirouettes là où il était mouillé. En marchant le
long du rivage, elle avait fait toutes sortes de
trouvailles. Il y avait des colliers d'algues caout-
chouteuses qui s'enroulaient à ses chevilles, des

crabes qui marchaient de côté, des étoiles de mer auxquelles il manquait toujours une branche. Avec un bout de bois, elle avait effleuré le ventre gélatineux d'une méduse. Elle avait regretté de n'avoir pas apporté de seau, mais sa robe avait des poches qu'elle avait bourrées de coquillages; à l'intérieur, il y avait peut-être des bêtes vivantes que maman ferait cuire à la vapeur. Elle avait poursuivi des goélands qui trottinaient sur le sable en criaillant, mais ils s'envolaient toujours au dernier moment. À bout de souffle, elle était entrée dans la mer. Elle avait trempé son doigt dans l'eau et l'avait léché: c'était salé comme sa grande sœur le lui avait expliqué. Les vagues se brisaient contre ses genoux et, à tout instant, elle perdait l'équilibre. Elle avançait en vacillant dans les flocons de mousse. Peu à peu, elle s'était enhardie. Il s'agissait de sauter par-dessus la vague au moment où elle était sur le point d'éclater. Le plaisir allait de pair avec la peur qu'elle ressentait.

En sortant de l'eau, elle avait constaté que le soleil avait disparu. Elle avait dû se baigner longtemps, car sa peau bleuie était fripée. Il était temps de rentrer. Sans hésiter, elle avait emprunté l'escalier menant à une maison verte dont le pignon s'ornait d'un œil-de-bœuf. Mais, en pénétrant dans la véranda, elle avait cru qu'elle avait la berlue. Un monsieur inconnu s'était adressé à elle dans une langue étrangère. Elle n'avait pas répondu. Le monsieur n'avait pas paru s'en offusquer: au contraire, il lui avait offert un fruit. Elle l'avait pris en disant merci, puis elle avait demandé au monsieur comment s'appelait le fruit, mais il n'avait pas compris. En redescendant l'escalier, elle avait noté qu'aucune des seize marches ne branlait.

Elle avait marché longtemps en luttant contre la fatigue. L'heure du marchand de sable était proche, car ses yeux piquaient de nouveau. L'image de la maison lui trottait dans la tête. En se concentrant, elle la voyait dans tous ses détails: une maison verte, avec un pignon, un œil-de-bœuf, une véranda, et un escalier au bas duquel elle avait laissé ses sandales. Par un phénomène inexplicable, la plage, qui était déjà large, s'était encore élargie. D'heure en heure — car il y avait sûrement des heures qu'elle marchait —, la mer s'éloignait. Quand elle avait remarqué qu'il n'y avait plus de maisons sur la dune, elle n'avait pas eu le courage de refaire le chemin en sens inverse. Il fallait bien l'admettre: elle était perdue au milieu d'une mer de sable qui s'étendait à l'infini. Elle frissonnait dans sa robe humide. Pour se réchauffer, elle avait eu l'idée de s'enterrer dans le sable. Immobile comme une momie, elle écoutait la mer qui grondait. En écarquillant les yeux, elle apercevait des montagnes qui se profilaient à l'horizon. Mais, l'instant d'après, elles avaient disparu.

Pendant qu'elle marchait, elle avait eu peur de la nuit qui venait. Elle avait pensé que tout le

monde devait la chercher partout. Maintenant,
elle s'efforçait de ne plus penser à rien. Grâce à
la lune qui s'était levée, il faisait encore clair.
Elle grignotait le fruit exotique que le monsieur
inconnu lui avait donné. Elle n'avait jamais rien
goûté de pareil. La chair jaune et pulpeuse
fondait dans la bouche. Peut-être le monsieur
était-il l'un de ces mangeurs de lotus que les
compagnons d'Ulysse avaient rencontrés?
«Quiconque goûtait le fruit à la douceur de miel
ne songeait plus au retour»: c'était écrit tel quel
dans le livre. Elle suçait ses doigts poisseux en
chassant l'image de la maison verte qui revenait
la hanter. Pelotonnée sous sa couverture de
sable, elle endormait sa peur en se répétant les
paroles du livre comme une litanie: «... fruit...
douceur... miel... songeait... retour». Ronde
comme un œil-de-bœuf, la lune veillait sur son
sommeil.

Le cerisier,
refuge de mes rêves

Jean Éthier-Blais

Écrivain de la maturité, Jean Éthier-Blais joue depuis un quart de siècle un rôle de premier plan dans la littérature québécoise. Cet ancien diplomate est d'abord venu à l'enseignement de la littérature française (universités de Carleton à Ottawa et McGill à Montréal) avant de pratiquer avec un rare bonheur la critique des lettres d'ici et de France. Publiées dans LE DEVOIR *jusque fin 1989, ses analyses ont accompagné l'évolution de la littérature québécoise avec une sympathie qui, si elle ne s'est jamais démentie, n'en a pas moins conservé un sens de la mesure toute classique. On peut d'ailleurs relire un recueil relativement considérable de ces critiques, première manière (1960-1973), dans* Signets, *publiés au Cercle du Livre de France en trois tomes.*

Bardé de prix et de distinctions, Jean Éthier-Blais poursuit une œuvre poétique et romanesque qui s'inscrit sous le double signe de la quête du moi et de l'analyse du milieu. Spécialiste de l'oeuvre du peintre Paul-Émile Borduas, il se présente avant tout comme le disciple du chanoine Lionel Groulx. Il ne fait aucun mystère

de ses sympathies politiques et de son allégeance
à un Québec souverain et indépendant. Il a aussi
contribué à mieux cerner la personnalité énigma-
tique de François Hertel dans un roman à clé:
Les Pays étrangers *(Leméac, 1982). Parenthèse*
dans cette production de plus en plus riche au fil
des années, Entre toutes les femmes *(Leméac,*
1988) laisse disparaître l'auteur au profit d'un
regard implacable sur un destin de femme.

Impossible de n'être pas interpellé par les
œuvres autobiographiques de Jean Éthier-Blais.
Cette réflexion a été engagée avec la publication
de Dictionnaire de moi-même *(La Presse, 1976).*
Elle s'est affinée pour atteindre un sommet dans
le genre avec Fragments d'une enfance *(Leméac,*
1988). Ce retour sur les jeunes années du Franco-
Ontarien qu'était Jean Ethier-Blais, il y a
quelque 60 ans, pourrait justifier, à lui seul, la
démarche reprise par les collaborateurs du
présent ouvrage.

Le propre du passé est d'occuper la mémoire, souvent comme une armée ennemie qui s'étend sur une nation conquise. On chasse tel souvenir. Il revient et cerne la citadelle des souvenirs. Ainsi des roses. C'était un plaisir délicieux pour moi, enfant, que de voir ma mère entrer en coup de vent dans la cuisine, à la main quelques roses. Elle les plaçait dans un vase, reculait, les regardait d'un peu loin, approuvait leur silhouette du regard, sortait, revenait avec une tige de fougère et le bouquet prenait sa forme définitive. En quelques jours, les roses, sur une table basse, perdraient leurs pétales et la fougère traînerait au milieu d'objets hétéroclites: un siphon d'eau pour le whisky, un cendrier, un livre écorné, mon sifflet. Ma mère prétendait que les roses étaient de nature jalouse et mouraient plutôt que de supporter la présence d'une autre fleur dans leur vase. Aujourd'hui, je ne regarde jamais un bouquet de roses sans un serrement de cœur. Où est maman? Où est ce vase hollandais qu'elle aimait, imité des Chinois? Ce vieux livre lu et relu? Le siphon et ses bombes d'eau gazeuse? Où est mon sifflet? La rose, fleur de

l'été, avive en moi les forces obscures de la mort,
car on meurt aussi en été. Mais c'est du cerisier
que je veux parler.

Notre jardin potager, accompagné d'une allée
de gazon, s'étendait à gauche de la maison. Il
contenait un peu de tout. Depuis ma chambre, je
voyais s'élever et s'abaisser en cadence les
chapeaux de paille de maman et de son adjoint-
ès fruits et légumes, M. Verdon. Ils travaillaient
en silence, connaissant l'un et l'autre le prix de
cet effort. La maison et la ville dormaient. Eux
communiaient avec la terre. À chacun ses rêves.
Au fond du jardin, par-delà tomates et concombres, à gauche, près d'un hangar dont le toit
de tôle grise brillait au soleil, se dressait un
cerisier sauvage. Il avait été plusieurs fois question de l'abattre, car son ombre était néfaste aux
raves, mais son destin était de tenir bon. Il y
avait en lui un secret. Seul dans son coin, il
surplombait les pommiers qui bordaient l'allée,
que, de son élancement et de ses proportions, il
semblait mépriser. Les véritables interlocuteurs
dans le ciel étaient plus loin, c'étaient les lilas.
Lorsqu'il y avait du vent, ils se répondaient, eux
vaporeux et grégaires, lui, de tronc raide, à la
chevelure emmêlée, solitaire dans son coin, ses
élans retenus par le mur et le toit du hangar.
Sous les rafales, il ne bougeait donc qu'en direction du jardin, secouant sa tête violente sur cette
géométrie paisible. Il était toujours rempli d'oiseaux qui pépiaient, bêtes bavardes, aux voix de

crécelle, dont la conversation formait un bruit confus soudain rompu par un trille. Le cerisier était comme le témoin de la vie du jardin et, plus loin, de celle de la maisonnée. Au cours de nos promenades (aller-retour dans ce qui, en somme, était un jardin minuscule) nous allions vers lui, jusqu'au bout de l'allée; mais sans l'atteindre, car il eût fallu obliquer sur la gauche et enjamber des semis. Il nous voyait donc, nous recouvrait de son ombre, nous faisait entendre sa nichée de moineaux qui, nous apercevant, pépiaient de plus belle, mais il restait en marge de nos vies. Nous préférions nous asseoir sur l'herbe, au milieu des lilas, qui formaient un enclos noble. Cela est si vrai qu'entre le potager et son cerisier et l'allée des lilas, se trouvait une clôture avec sa porte, symbole du passage de l'utile à l'agréable. Les photos de mariage étaient toutes prises dans les lilas. Mais j'en ai retrouvé une où la mariée, comme une petite lueur blanche, est debout sous la tonnelle du potager, seule et souriante. Le ciel de juin est pur. Pourtant, à gauche, un nuage invisible se profile. C'est le cerisier qui participe à la fête.

Mes lectures avaient ancré en moi la certitude que j'étais un enfant malheureux, ou digne de l'être. La maison était pleine de lieux magiques où je pouvais donner libre cours à mes imaginations tristes. Dehors, impossible, par le plein air, les allées et venues, le ralentissement des appels. Lorsque la chaleur des jours d'été qui

n'en finissent plus m'obligeait à quitter mon
grenier ou ma chambre (ces jours où, même
enfant, on n'a envie de voir personne) je me
réfugiais dans le cerisier. Non pas à son pied,
mais en lui, porté par lui, me balançant selon ses
humeurs, replié sur moi-même entre les
branches, épousant la forme et le mouvement de
l'arbre, dont, parfois, les branches craquaient
sous moi. Dès qu'ils me voyaient grimper au
tronc et m'arc-bouter pour prendre place au
milieu de l'arbre, les moineaux s'envolaient,
allaient s'agiter au sommet d'un pommier, d'où,
par cris en bourrasques, ils me reprochaient de
leur avoir volé leur place. Je n'avais cure de
leurs piaillements, à califourchon sur la plus
forte branche et roi du monde.

En réalité, j'étais prisonnier. Les branches,
en fleurs ou lourdes de fruits, m'empêchaient de
voir au loin. En me penchant à droite ou à
gauche, j'apercevais la route ou la maison. Si je
levais les yeux, je voyais le ciel et ses nuages. Je
ne percevais le monde que par les sons qui me
parvenaient, dans mon perchoir, des jardins d'à-
côté ou de la rue: cris d'enfants, klaxons stri-
dents, aboiements. Je me gorgeais de cerises, me
remplissant la bouche de leur chair rouge et
chaude, crachant les noyaux, le plus loin possible. Lorsque le temps était lourd, je m'endor-
mais en équilibre instable, porté par le rende-
ment de l'arbre. J'y apprenais les règles du
roulis et du tangage de la vie.

A la fin de l'été, lorsque le jardin s'alanguis-
sait et qu'on cherchait en vain des concombres
sous les feuilles rampantes, le froid, déjà, du
serein nous obligeait à rentrer tôt. L'automne
donnait ses premiers coups de patte. Dans la
cave, les pots de confiture de cerises sauvages
brillaient dans l'obscurité de l'armoire. Le cerisier, dénudé, ne pouvait plus servir de refuge à
mes rêves. Aussi solitaires l'un que l'autre, nous
nous apprêtions à entrer dans l'hiver. Dans la
cave on lavait pour la dernière fois ma culotte de
toile blanche.

Le jour de la colère de la mer

Alain Pontaut

Depuis son arrivée au Québec, en 1962, au tout début de la Révolution tranquille, Alain Pontaut a navigué entre journalisme et littérature en se taillant une place propre et originale.

On retrouve sa signature dans la plupart des grands quotidiens, dans les meilleures publications du Québec: La Presse, *LE DEVOIR,* L'Actualité. *Après un silence de quelques années, il a repris, en 1988, une rubrique régulière en signant dans LE DEVOIR des critiques hebdomadaires du théâtre montréalais.*

Tout au long de sa carrière, Alain Pontaut a semblé privilégier le milieu théâtral. En plus d'écrire de nombreuses pièces — Un bateau que Dieu sait qui avait monté et qui flottait comme il pouvait, c'est-à-dire mal *(Leméac, 1970),* Madame Jocaste *(Leméac, 1983) et* Le Grand Jeu rouge *(Leméac, 1975) — il a mis au point un premier* Dictionnaire critique du théâtre québécois *(Leméac, 1972).*

Lié au monde des lettres à plus d'un titre, il a longtemps été associé aux éditions Leméac comme directeur littéraire, en plus d'y diriger une collection ouverte aux textes dramatiques.

*Avec Pierre de Bellefeuille et le regretté J.-Z. Léon Patenaude, il s'insurge en 1972 contre la mainmise des éditeurs français sur les réseaux de distribution et de vente du livre francophone au Québec (*La Bataille du livre au Québec: oui à la culture française, non au colonialisme culturel. Leméac, 1972*).*

Lui qui avait tâté du grand reportage en publiant, avec Jean-Marie Domenach, une excellente «découverte» de la Yougoslavie dans la collection Planètes *(Le Seuil, 1960) ne néglige aucun des genres littéraires: poésie, essai, roman. De plus, il tire profit de son passage, comme attaché culturel, au cabinet de l'ancien Premier ministre René Lévesque, pour livrer, sous forme d'essai, l'une des biographies les plus pénétrantes de ce leader politique exceptionnel.*

Au printemps 1990, il publie, toujours chez Leméac, L'Homme en fuite, *formé de sept nouvelles au ton déroutant, tellement le mystère et la fiction traditionnelle y nouent une alliance surprenante.*

Tous les jours de l'été, il y avait la plage, avec la mer qui, à marée haute, mangeait presque tout le sable jusqu'à la haute digue de granit où se tassait le long alignement des cabines. À marée basse, elle libérait au contraire une immense étendue de grève, à perte de vue, presque jusqu'au Mont-Saint-Michel, comme si la terre avait décidé de boire ou d'éponger toute l'eau de la Manche.

Nous qui avions huit ans, quand la mer était haute, nous aimions barboter entre deux vagues, au pied des escaliers de la digue, jouant à hurler de terreur quand une vague plus haute nous menaçait. Et quand elle était basse, il y avait ce grand champ mou et si plaisant, et nos petits filets de pêche pour un poisson qui ne se laissait pas attraper, quelques crevettes dans le trou d'un rocher, un gros crabe qu'on voyait soudain nous épier avec son œil comme une boule noire au bout d'un bâtonnet, des petits tas de sable un peu partout, en forme de colimaçons, indiquant le repaire de quelque bigorneau, des poignées de varech, une étoile de mer si on était vraiment chanceux.

Nageant, on n'avait pas le droit de dépasser
le petit radeau ancré pas loin, comme une boîte
vermoulue mais qui nous soutenait encore, le
temps de reprendre souffle et de revenir vers le
rivage avec, pour épater les autres enfants, de
vifs mouvements désordonnés qui se prenaient
pour ceux d'un champion.

C'était le jardin des vacances, toujours nouveau et pourtant sans surprises, fait de mer-
veilles trop coutumières pour nous étonner.
Aussi n'avions-nous pas du tout prévu ce jour
particulier, si différent, au milieu du mois
d'août, qui nous a tant saisis sur le moment. Et
d'abord parce que, ce matin-là, alors que, d'un
seul coup, le soleil, surgissant d'un nuage, avait
déposé sur la mer une étrange blancheur métallique, à la place de nos échecs habituels, on
eût dit que c'était la pêche miraculeuse. Poissons, petits et gros, comme affolés, paraissaient
se presser dans une eau curieusement tour-
mentée et poisseuse. Alors on relevait nos filets,
qu'on n'avait jamais vus si chargés, on emplis-
sait nos paniers à ras bords, on courait vers la
cabine pour déposer notre butin et, criant au
miracle, on revenait vers la mer pour profiter
sans fin de ces cadeaux du ciel.

Mais la mer devenait de plus en plus bizarre.
À peine entré dans l'eau, on sentait ses chevilles,
ses mollets, ses genoux enserrés par un courant
qui ressemblait à quelque fouet caoutchouté et
qui attirait vers le fond, y maintenait par quelque

effet inexplicable de succion. Mais nous étions tout près du bord et, d'un bond, nous fûmes hors de l'eau. Revenus, étonnés, à la cabine, nous regardions avec moins d'enthousiasme la pêche miraculeuse étalée sur la table.

On ne parvenait pas à comprendre ce double phénomène: le grouillement des poissons et l'oppressant rouleau de la vague. Ni l'étrange sifflement du vent avec ces torrents d'eau qui martelaient le toit. Le lendemain, un journaliste, à la radio, devait émettre l'hypothèse d'un tremblement de terre sous-marin, au large, quelque part, entre Bornemouth et la côte normande. Pour ce qu'il en savait...

La pluie cessant, nous sortîmes regarder peureusement, du haut de la digue, la mer, violente et glauque, qui s'agitait irréellement sous un ciel presque noir. On vit, sur notre droite, trois sauveteurs, anciens pêcheurs qui d'ordinaire surveillaient la place, pousser vers la mer si agitée leur médiocre chaloupe à rame, qu'ils appelaient *doris* comme les terre-neuvas. On regardait, on ne comprenait pas, on les traitait de fous. On observait leur barque, ridicule coquille de noix dans la tourmente. Elle disparaissait dans un gouffre et la foule, assemblée sur la plage, poussait des cris d'angoisse et de frayeur. Elle réapparaissait sur une crête et tout le monde respirait, applaudissait.

L'un de nous faisait la navette entre la digue et la plage. Il ramenait des nouvelles contradictoires. Ou bien tous les baigneurs du matin avaient réussi à regagner le bord et à échapper à la colère de la mer. Ou bien, c'était deux femmes, jeunes, excellentes nageuses, que nos parents connaissaient bien, qui étaient déjà très loin, au large, le matin, quand la mer avait commencé de s'agiter. Information démentie: les femmes, à l'heure qu'il était, étaient depuis longtemps rentrées chez elles. Alors, demandait quelqu'un, pourquoi les sauveteurs, au risque de leur vie, poursuivaient-ils leurs recherches?

Au moment où, peut-être, nous allions le savoir, la barque semblant bien se décider à regagner la plage, les adultes, en criant, commandèrent soudain aux enfants de rentrer dans les cabines et de ne pas en sortir. Les enfants obéirent à regret, s'enfermèrent, commencèrent à jouer.

Mon frère et moi, nous fîmes semblant d'obéir. Mais, marchant avec les autres sur la digue, nous nous glissâmes entre deux rangées de cabines et, tendant le cou en nous dissimulant, nous pûmes tout à loisir observer la chaloupe qui revenait, poussée, lourde et luisante, vers la plage par un ultime effort des rameurs épuisés.

Nous vîmes aussi qu'ils ne revenaient pas seuls. Dans le fond de la barque, les deux femmes étaient là, l'une qu'ils avaient trouvée dérivant vers le large, l'autre, près de la falaise et du phare, la tête coincée entre deux rochers.

Et nous ne pouvions détacher nos yeux de ces cuisses blafardes, de ces mains qui pendaient au bout des bras avec leurs doigts ouverts, de ces visages de plâtre fondant dont l'un était marqué de crocs bleuâtres et dont l'autre semblait sourire.

Nous regardions, moins effrayés qu'interloqués. Nous ne comprenions pas très bien pourquoi ces femmes, dont le visage nous était vaguement familier, se laissaient porter ainsi au sortir de la barque et déposer, sans réagir, sur des civières. Nous ne comprenions pas pourquoi, à ces baigneuses revenues, tout le village, maintenant, faisait cortège, alors qu'elles avançaient, livides, vers la digue, qu'une fille rousse pleurait et qu'un gros homme, la bouche ouverte comme un phoque, ôtait brusquement son chapeau de paille.

Les sauveteurs étaient là aussi. L'un deux, le plus grand, qui avait marché jusque-là sans un mot, comme indifférent, derrière le cortège, s'arrêta au sortir de la plage, se tourna brusquement vers la mer et lui tendit le poing.

Cette semaine-là...

Arlette Cousture

La diffusion de la série Les Filles de Caleb *à la télévision de Radio-Canada hisse Arlette Cousture dans la catégorie très sélecte des rares auteurs québécois — Yves Beauchemin, Gabrielle Roy, Roger Lemelin, Louis Caron... — qui ont eu droit à pareil traitement. Et dire que le succès de cette saga a d'abord été le fait des lecteurs eux-mêmes. Ils ont été des dizaines et des dizaines de milliers au Québec, puis en France, à dévorer cette histoire des descendantes du grand-père Caleb. Le milieu littéraire officiel s'est fait tirer l'oreille avant de reconnaître talent et vertu à cette jeune femme...*

Fille du bord du fleuve, d'un Saint-Lambert qui avait préservé son caractère de village haut de gamme, en face de Montréal, Arlette Cousture s'est peut-être intéressée très jeune au plaisir des mots et des récits. Elle ne cédera à la vraie tentation qu'au début des années 80, la trentaine bien entamée. Et pour un coup d'essai, ce fut, réminiscence obligée, un coup de maître!

Les Filles de Caleb, *(Québec/Amérique, 1985-1986) mille pages d'un récit tricoté serré, relate la vie et les amours de ces femmes qui ont précédé*

Arlette Cousture dans l'arbre généalogique de Caleb, sa mère et sa grand-mère. L'une institutrice, l'autre infirmière, qui ont vécu et exercé leur profession dans l'arrière-pays de la Mauricie. Ce retour aux sources a visiblement séduit les lecteurs d'ici. En France, la filiation avec les héros de Maria Chapdelaine s'est imposée immédiatement. Et le succès s'est installé, qui a exigé réimpression sur réimpression.

Couronnée par le grand public lors du Salon du Livre de Montréal, à l'automne 1987, Arlette Cousture peaufine depuis son prochain roman, dont on sait seulement qu'il se déroulera en milieu urbain.

Dimanche

Heureusement qu'il y a le gros encens qui colle aux narines et dont j'aime l'odeur, parce que la grand-messe... Heureusement aussi que je porte un manteau à col marinière et un joli chapeau à pompon blanc parce que le retour à la maison aurait été plus qu'ennuyant... Heureusement surtout que j'ai de jolies chaussures en cuir noir verni qui craquent le long de la ligne pelouse-trottoir. J'ai demandé à ma mère pourquoi il n'y a pas de cuir de couleur. Elle m'a répondu que c'était parce qu'il n'y avait pas d'animaux de couleur. Je ne l'ai pas crue. Les crocodiles sont verts. Mais comme presque tous les dimanches, il fait beau. Et endimanchée comme je le suis, je suis fière. Fait-il toujours beau le dimanche? Dans ma tête, oui, sauf aujourd'hui... Quelles jolies chaussures j'ai. Je ne cesse de les regarder. J'entends mon pied droit crépiter sur le trottoir pendant que le gauche avance silencieusement sur la pelouse. Je me tiens en équilibre, ne quittant pas des yeux ces beaux souliers qui me parlent au rythme de mes pas. Soudainement, j'entre dans l'univers des étoiles. Seule. Il paraît que je me suis assommée sur un parcomètre. Moi, tout ce que je sais c'est que mon chapeau est tombé et que j'entends des rires de moqueries. Au pays des étoiles, il y a des moqueries? Je n'aime plus le pays des étoiles...

Lundi

La nuit filtre tous les sons. Le sommeil m'a engourdi l'âme le temps d'une lune et aucun autre rêve que celui d'un voilier qui se berce sur une eau bleue avant de s'émietter en paillettes argentées ne vient troubler le calme et la profondeur de ma respiration. Je suis sans méfiance. Aujourd'hui, bientôt, dès que le soleil aura fini de pâlir la couleur du rideau de ma chambre, tout sera comme hier. Tout à coup, on frappe plusieurs coups saccadés et rapides suivis de trois coups secs et espacés. J'ouvre les yeux et me précipite pour tirer le rideau. Je retiens mon souffle. J'hésite. Si j'ai bonne mémoire, ces coups répétés annoncent la création d'un spectacle qui m'impressionne déjà et qui m'impressionnera toujours. Alors j'ouvre et je bascule dans l'univers magique et clair qui m'est révélé sans protection maintenant que mon père vient d'arracher le châssis double de ma fenêtre. C'est l'été...

Peu de temps après, une forte odeur m'emplit les narines, celle du fumier de poule qu'on applique généreusement pour nourrir les fleurs que nous mettons en terre. Celles qui prendront la place des perce-neige, des crocus et des tulipes. J'aime avoir les genoux quadrillés par les brindilles de gazon et les mains noires de terre. Chez nous, le terrain n'est qu'une palette sur laquelle mes parents trempent le pinceau de leur imagination. Le seul règlement du jardinage est de ne pas étouffer les racines et les tiges ô combien fragiles des toutes petites fleurs aux pétales recroquevillés de peur. Mais elles seront protégées par les feuilles des iris, des glaïeuls et des pivoines déjà en place. Je sais qu'ici, il y aura les pivoines. J'aime les pivoines. Sauf une. Celle que je voulais respirer à plein cœur et qui a défendu son parfum en m'expédiant une fourmi dans le nez. J'aime quand même nourrir toutes les fleurs avec le gros arrosoir métallique à la pomme généreuse qui abreuve parfois le sol en mélangeant son eau à un petit arc-en-ciel... Que j'aime ces lundis-là...

Mardi

L'air de Saint-Lambert sent l'algue. Ma maison n'est pas très loin du fleuve et quand je peux j'y vais. Pour me baigner. Nous avons une plage dont le fond est rempli de sable, de vase et de roches. Une plage ceintrée de billots gluants, entourés d'écume. Je n'aime pas tellement me baigner à la plage. Je n'ai pas de caoutchoucs blancs pour me protéger les pieds. J'ai les cheveux très longs et je déteste que le sable s'y encroûte. Je sais aussi, pour en avoir pêché, qu'il y a des barbottes et des crapets, et pour en avoir vu agoniser ou mortes sur les rives, des anguilles. Si je n'aime pas m'y baigner, j'aime le fleuve. Ce mardi-là, je m'assois sur ses rives pendant des heures à l'écouter me clapoter ses secrets. C'est une longue histoire d'amour entre lui et moi. Il est la veine de mon enfance.

Mercredi

Quand je laisse le fleuve vaquer librement à ses occupations, moi j'ai les miennes. Je vais à l'OTJ. Tous les matins de soleil. Les matins de pluie, je n'y vais pas. À l'OTJ, il n'y a ni fleurs, ni fleuve. Mais il y a les arbres, l'herbe mal tondue, le gravier gris et crissant du terrain de baseball, les jeux et... le laitier. Il vient nous porter des demiards de lait au chocolat. C'est la seconde merveille du matin après le soleil. Le laitier nous tend chacun notre demiard de verre ruisselant, fraîchement sorti de la glace. Je commence par me le rouler sur le front, puis sur les joues. Comme un chaton j'en renifle le bouchon puis le lèche avant de me résigner à soulever la languette qui protège le petit trou dans lequel j'introduis ma paille. Je bois lentement. J'aime sentir, goûter, claquer de la langue et avaler mon lait crémeux. Le lait au chocolat de l'OTJ, c'est mon soleil intérieur. J'aime ces mercredis-là...

Jeudi

Je cours tout le temps. De la maison au parc. Du parc au fleuve. Du fleuve aux marécages pour y humer l'eau qui sent le fromage Oka oublié. Écouter les grenouilles et les ouaouarons. Près de cette presque jungle je rencontre d'autres aventuriers et nous faisons parfois la guerre. Une guerre épouvantable à grands coups de quenouilles qui s'achève toujours par la chute extraordinaire du chanvre en neige qui colore le ciel de blanc. Nous offrons notre visage à ces moelleux flocons qui nous chatouillent les na-

rines et se collent à nos cheveux et à nos vêtements. J'aime ces jeudis-là...

Vendredi

Les jours de pluie, je joue avec Lucie. Son
cœur est malade et elle ne peut courir. Alors
nous dessinons ou jouons à d'autres jeux
tranquilles. C'est mon amie de pluie. Elle sera
aussi mon amie de chagrin parce que le jour où
elle a été guérie, elle est morte sous les roues du
tramway. Maintenant qu'elle est partie, la pluie
ne fait plus de musique sur la vitre. Elle se contente de frapper... Je n'aime plus ces vendredis-
là...

Samedi

Et voilà que boum! On enterre mon étang, ses
quenouilles, ses grenouilles et ses ouaouarons.
Une explosion a mis fin à nos guerres. Des
maisons, un parc et une piscine remplaceront
notre jungle.
Et voilà que boum! Mon fleuve explose en
mille gouttes et le cœur me lézarde comme le

plâtre des maisons. Je cours, je cours le plus près possible de lui et je ne réussis à m'en approcher que pour marcher sur des rives neuves, toutes de gravier, sans mousse. C'est comme si je voyais les anguilles devenir des lacets.

J'entre à la maison, le cœur barbouillé par les couleurs du coucher de soleil que j'ai regardé à travers une clôture Frost. Un coucher de soleil silencieux que n'accompagnaient plus ni les ouaouarons, ni le coulis de mon fleuve. Les annuelles ont été arrachées. Les arbustes protégés.

J'ai dormi sans rêver à mon voilier et j'ai été réveillée par des coups secs et rapides suivis de trois coups saccadés et espacés. Je n'ai pas ouvert le rideau mais j'ai entendu le son de mes oiseaux s'assourdir. Le parfum des fleurs a cessé d'entrer par la fenêtre. Je ne suis plus sans méfiance. Rien ne sera plus comme hier.

Je viens de pénétrer dans un univers sans sons et sans couleurs...

Un dimanche, l'après-midi

Gilles Archambault

PHOTO : JACQUES GRENIER

Il est de multiples avenues pour découvrir la littérature. Certains auditeurs de l'émission matinale CBF-Bonjour de Radio-Canada à Montréal se sont laissés prendre au charme insidieux des billets quotidiens de Gilles Archambault. Et ils se sont naturellement procuré Chroniques matinales *(Boréal, 1989) où l'éditeur a rassemblé de bonnes feuilles de cet exercice quotidien au moment où la ville s'éveille. Et quelques-uns ont découvert avec étonnement la bibliographie de cet homme modeste qui ne fait pas grand tapage dans le monde littéraire du Québec...*

Son œuvre romanesque, Gilles Archambault l'a menée de concert avec sa carrière de réalisateur radiophonique dans le sérail de Radio-Canada. Voilà maintenant plusieurs années qu'il est devenu la «voix du jazz» pour les amateurs d'un genre qui fleurit, lui, aux heures où le soleil se retire. Il a d'ailleurs longtemps fait profiter les lecteurs du DEVOIR de sa passion pour cette musique nord-américaine avant de signer des billets d'humeur où se devinait la dominance de son œuvre littéraire.

L'œuvre littéraire de Gilles Archambault?
Une série d'ouvrages denses qui ne ressemblent
nullement aux briques dont on nous afflige trop
souvent. Depuis Une suprême discrétion *(Cercle*
du Livre de France, 1963) jusqu'à L'Obsédante
Obèse et autres agressions *(Boréal, 1987), il*
cisèle romans et essais avec un art qui témoigne
d'une mélancolie tenace, mais superbement maî-
trisée. Ce ton, cette voix qui n'est pas écorchée au
sens vif du terme, mais qui voile une pudeur
tenace, a contribué à lui mériter et le Prix du
Gouverneur général et le Prix David.

Gilles Archambault fait aussi partie du petit
groupe de Québécois qui a cherché et exploré les
traces de Jack Kerouac dans l'espoir de réha-
biliter ici cet enfant du Petit-Canada de Lowell,
devenu une voix fondamentale de la littérature
des États-Unis.

Rien ne m'éblouit autant que d'entendre les propos de ceux qui réussissent à vous convaincre que leur enfance a été heureuse. J'en ai peu vus. La plupart ne savent raconter que des banalités.

Je n'ai pratiquement pas de souvenirs agréables des premières années de ma vie. Je ne m'imagine pas autrement que triste. À dire vrai, j'étais un enfant terrorisé. Je me sentais toujours coupable de quelque chose et pourtant je me tenais coi. D'une docilité exemplaire j'avais la larme facile. Le moindre reproche m'était cause de désarroi.

Je me souviens toutefois de randonnées en auto qui m'enchantaient. Pas toujours. Certaines tournaient au désastre. C'est à dessein que j'ai employé le verbe «enchanter». Tout le plaisir que je tirais de ces dimanches après-midi venait de ce que mes parents justement chantaient. La conduite automobile dans les années quarante n'était pas encore la corvée qu'elle est devenue. On montait dans la voiture comme on enfourchait sa bicyclette.

Des paroles me reviennent en mémoire. La vie était belle au temps joyeux des balalaïkas.

On se grisait d'amour et de vodka, en riant aux
éclats. Mon père avait chanté dans une chorale.
Il lui était resté de cette expérience une pro-
pension à l'exaltation. Au volant de son auto, un
cabriolet — achat qui s'avéra désastreux —, il
redevenait l'adolescent qu'il avait été.

Le père en lui s'effaçait. J'oubliais pour
quelques heures qu'il pourrait me gronder ou
m'infliger de ces punitions hors de proportion
dont il avait le secret. Il est vrai qu'alors hon-
teux, il me graciait sur-le-champ. Il n'empêche
que je savais que je ne méritais pas ces sanc-
tions. Seul à l'arrière de la Ford décapotable, les
cheveux au vent, je ne chantais pas. J'en étais
incapable. Mon unique joie venait de les voir
heureux, souriants.

Au mois de septembre 1965, mon père entra
à l'hôpital. Un malaise cardiaque sérieux. Il
s'alimentait mal et trop. Comme il venait tout
juste d'avoir cinquante-cinq ans, je n'accordai
pas à son état toute l'attention qu'il nécessitait.

J'allais avoir trente-deux ans. Je n'avais pas
encore appris à parler à mon père. Je n'ai jamais
su le faire. Sa mort m'en a empêché. Je suis
maintenant plus âgé qu'il n'est jamais parvenu à
l'être.

Aller à l'hôpital était pour moi une corvée.
Mon père n'était plus l'ennemi qu'il avait été à
mes yeux au début de mon adolescence. Depuis
quelques mois, j'avais même pu déceler en lui
une douceur que je n'avais pas soupçonnée aupa-

ravant. Avec mes enfants, je le trouvais plein d'attentions touchantes.

Un après-midi, je lui rendis visite. Dès mon arrivée dans la chambre, je fus frappé par son air blessé. Ainsi donc, me disais-je, j'ai eu peur de cet homme-là. Une grande tristesse dans les yeux, et la faiblesse de sa voix n'arrangeait rien. Je crois me souvenir presque du mot à mot des phrases qui s'échangèrent entre nous.

— Tes enfants sont bien? me demanda-t-il. Le petit joue toujours dans le sable?

Je répondais du mieux que je le pouvais, j'ajoutais des anecdotes qui pourraient lui plaire. Soudain, je m'aperçus qu'il pleurait. Quelques larmes silencieuses. Je parvins à me retenir. Mais, lui, pleurer? Tant d'années à l'imaginer violent et colérique pour découvrir cela.

— Te souviens-tu quand nous allions chez ta tante Rose-Anne à Saint-Alban's?

Si je m'en souvenais! La grande maison de ferme, les pièces inhabitées, les poules qui m'effrayaient tant et surtout les jours que je passais là avec ma mère, soulagé qu'il n'y fût pas, lui!

— On était bien.

Puis, après un silence qui dura bien une minute:

— J'aurais bien aimé que tu sois heureux. Dis-moi au moins que je ne t'ai pas trop fait souffrir. Je voudrais bien tout recommencer, mais c'est impossible.

Et moi, sottement:

— Tu ne resteras pas ici longtemps. Tu pourras refaire tes sorties en auto, tu retourneras à ton chalet.

Un autre silence, puis:

— Occupe-toi bien de tes enfants. Regarde-les grandir, ne te retiens pas de les embrasser. Tu ne connaîtras rien de plus beau dans la vie. Gilles, je peux te demander quelque chose?

Ses doigts enserraient mon poignet droit. Je n'avais jamais aimé qu'on me touche, mais il n'était pas question que je me dégage.

— Ce que tu veux, fis-je, embarrassé.

— Dis-moi que je ne t'ai pas rendu malheureux? Je ne parle pas de grand bonheur. Je n'ai pas pu te donner tout ce que tu aurais souhaité, j'étais fonctionnaire, dis-le-moi. Je ne sortirai pas de cet hôpital vivant. C'est le temps comme jamais.

Tout ce que je pus répondre fut une évocation de ces sorties en automobile du dimanche. Il parut rassuré. J'ai raconté des mensonges plus blâmables dans ma vie.

Cet été-là,
l'été de l'imaginaire

Guy Boulizon

À 84 ans bien comptés, Guy Boulizon est l'une des figures les plus importantes, mais aussi les plus sympathiques, du cheminement culturel du Québec depuis le début de la Seconde Guerre mondiale jusqu'à nos jours. Car c'est à la toute veille du déclenchement des hostilités en Europe que Guy Boulizon et sa femme, Jeannette, s'installent et prennent racine au Québec.

Avec une équipe de pionniers venus, comme eux, de l'ancienne mère-patrie, les Boulizon contribuent à la mise sur pied du collège Stanislas. Ils sont de toutes les entreprises où lettres, art et culture cherchent à se tailler une place dans le Québec de l'avant Révolution tranquille. Cette aventure généreuse et tenace, c'est d'ailleurs la trame de l'ouvrage qu'ils ont tous deux publié, en 1989, chez Flammarion: Stanislas, un journal à deux voix.

Guy Boulizon se fait tour à tour enseignant, libraire — on lui doit l'ouverture de la librairie Flammarion, à Montréal —, animateur à Radio-Collège, de glorieuse mémoire, collaborateur à une foule de revues mais aussi, et peut-être avant tout, auteur qui écrit aussi bien pour les tout-

*petits (*Prisonniers des cavernes, *Fides, 1950) que pour les amateurs d'art.*

Ces dernières années, au calme de sa retraite montréalaise, Guy Boulizon a poursuivi sa découverte du patrimoine artistique du Québec, devenu sa seconde patrie. On lui est redevable d'un important inventaire des Musées du Québec (2 tomes, Fides, 1976). En 1984, il publie un album qui constitue presque un mémorial: Le paysage dans la peinture au Québec vu par les peintres des cent dernières années *(Éditions Marcel Broquet, 1984).*

Né à Nevers, sur les bords de la Loire, Guy Boulizon n'a pas oublié la cathédrale aux deux absides. Ni la leçon de peinture, première initiation à l'art, que son père lui a prodiguée ce dimanche d'août 1914. Avant le déclenchement du premier conflit mondial.

Comment pourrais-je l'oublier cet été radieux, somptueux, cet été avant que n'éclate l'apocalypse?

C'était l'été 1914, celui où je découvris le monde. Celui où, avec l'innocence étrange et déjà complexe de mes huit ans, tout me semblait désirable, possible, permis.

Le premier dimanche d'août, mon père m'offrit — chose jusque-là impensable — de m'emmener avec lui «faire de la peinture» sur les bords de la Loire. En fait, ce n'était qu'une petite randonnée. Mais, pour moi, habitué à notre très ancienne demeure (une «Folie» du temps des Médicis, m'avait dit ma mère sur un ton un peu gêné...), aux rues de Nevers, pavées, étroites, qui montaient à la cathédrale et au palais ducal — prolongé par une vaste place aux arbres centenaires et pathétiques, que devaient immortaliser, plus tard, les premières séquences d'*Hiroshima, mon amour*, oui, pour moi, c'était toute une expédition.

Ce fut ce dimanche-là qu'à travers les mots de mon père — mots sans doute maladroits, mais qui, avec le recul, me semblent inspirés —

j'allais découvrir la Nature, le monde des apparences, la Transcendance.

Mon père, dont les voisins disaient avec
condescendance que c'était un «peintre du
dimanche», installait son vieux chevalet, bancal
et rafistolé, sur les larges bancs de sable rose de
la Loire, à l'ombre de vieux saules biscornus,
dont, curieusement, je devais retrouver la ré-
plique exacte, des décennies plus tard, le long
de la Rivière Beaudette. Oui, vraiment, ce fut
alors que je rencontrai — au plein sens du mot
— le monde (celui des apparences, tout au
moins) sous la forme d'une sorte de paradis qui,
rapidement, deviendrait, hélas, un paradis
perdu...

De mes yeux bien ouverts et un peu éberlués,
je regardais mon père, qui avec un pinceau (en
poils de martre, me confiait-il avec gourmandise)
lavait, largement, un paysage aquarellé qui me
surprenait. Devant moi, je voyais une certaine
nature: premier plan sablonneux, des eaux
transparentes, quelques peupliers dorés. Plus
loin, le vieux pont sur la Loire (que, vingt-cinq
ans plus tard, les escadrilles nord-américaines
devaient manquer, déversant sur la cathédrale
voisine des tonnes de bombes, qui, en cinq
secondes, la firent éclater). Plus loin encore, la
tour de la cathédrale de Nevers qui, étrange-
ment, sur les grandes feuilles de papier Ingres
de mon père (il aurait voulu du papier Canson,
mais c'était trop cher...) se retrouvait toujours

au cœur du tableau, au croisement symbolique des diagonales et des perspectives!

Je regardais donc la vaste nature, puis je comparais avec ce que faisait mon père. Je risquai alors une remarque: «Papa, je ne vois pas de rapport entre ce que je regarde et ce que tu fais...»

Mon père s'arrêta de peindre. Il me regarda dans les yeux, avec une intensité dont il n'était pas coutumier et, comme si c'était ses «ipsissima verba», il me dit: «Écoute bien, mon gars (jusqu'à ce jour il avait dit «mon petit»). Oui, écoute... ce que je fais là, c'est une peinture, pas une photo en noir et blanc (en 1914, la photo-couleur n'était pas inventée). Je ne cherche pas à décrire, ni à raconter. Je fais de la peinture.» Il s'arrêta, cherchant ses mots, des mots qui rejoindraient mes huits ans. Pas facile. «Écoute, mon gars, ma peinture... Je crée des signes, des formes, des couleurs, à propos de ce que je vois...» Il répéta lentement le mot «à propos» et continua. Pour moi, ça devenait difficile. «Je transpose, dit-il, je transfère, parfois je transcende.» Et après un long silence, il murmura à mi-voix: «Parfois, je transgresse... Oui, je transgresse ce que font les autres, ceux qui rient de moi... Mon désir serait — devant la nature — de ne faire que des métamorphoses, car la réalité n'est pas ce que l'on voit...»

Le mot «métamorphose», que je ne compris pas, me plut beaucoup. Plus tard, bien plus tard, à l'université, des maîtres qui s'appelleraient

Maritain, Brunschwig, et surtout Bachelard, me redirent tout cela en termes savants. Du coup, à cause de la langue de bois, je perdis le peu de ce que mon père m'avait révélé. Seul Bachelard, (mais c'était après la guerre, et j'étais au Québec) me révéla en profondeur, définitivement, tout ce que j'avais cru deviner en ce premier dimanche d'août: la révélation du monde, ou mieux «d'un» monde. Non pas celui des gens d'affaires (on ne parlait pas alors d'une société de consommation), pas davantage celui des rationalistes, pas même celui des «intellectuels», mais le seul univers auquel je devais croire à jamais: celui des Nourritures terrestres (au sens large du mot), reflet merveilleux d'un Infini et d'une Transcendance dont mon père me disait: «N'oublie pas, mon gars, de mettre un I et un T majuscules...»

Ce dimanche-là, on termina la séance de peinture vers deux heures et demie. Très loin, les cloches de la cathédrale sonnaient les vêpres. Mon père m'y traînait régulièrement. Nous nous installions tantôt face à l'abside romane, que je regardais avec passion, tantôt face à l'abside gothique (curieusement, la cathédrale de Nevers regroupait deux absides. Ce fut d'ailleurs un coup pour moi, lorsque en 1944 j'appris à Montréal que les torpilles américaines avaient fait sauter la partie gothique. Consolation: l'abside romane, pourtant beaucoup plus ancienne, avait résisté.)

Au deuxième dimanche d'août, mon père pensa que, moi aussi, je pouvais m'essayer à la peinture. Une seule boîte de couleurs aquarelles suffirait pour nous deux, (mais mon pinceau n'était qu'un vulgaire poil de chat...) papa se limitait aux jaunes indiens, au vert de vessie, au noir charbonneux. Il me laissa — ou je choisis de moi-même — le cadmium orange, l'outremer, le géranium. Le mot «métamorphose» trottait dans mon esprit. Je fis, en dix minutes, une peinture dont je ne fus pas peu fier. La cathédrale, décentrée, étonna mon père. Il aima sans doute ce premier essai, mais quelque chose (quoi?) le gênait. Aux vêpres, il décida qu'on s'installerait face à l'abside gothique. Vengeance de mon inconscient? Je m'endormis pendant le sermon. Rentré chez nous, je montrai ma peinture à ma tante Euphrasie: «Une merveille, affirma-t-elle, une vraie merveille!» Le lendemain matin, elle me demanda de descendre la poubelle. Un papier coloré en sortait, qui m'intrigua. C'était ma «merveille», que ma tante avait jetée aux ordures. Je repris ma peinture, la nettoyai, ma mère la repassa, sous les yeux gênés d'Euphrasie. Mon père comprit vite, surtout quand il me vit fixer mon aquarelle sur le mur de ma petite chambre, qu'on appelait généreusement le capharnaüm. Quelques années plus tard, papa fut le seul à deviner pourquoi, Euphrasie étant morte, je refusai, seul de ma famille, à aller à son enterrement. Mais le ciel était-il avec moi?

Tous les membres de ma famille revinrent du cimetière gelés, grippés, par suite de vents froids qui déferlaient des monts du Morvan. Pendant une semaine, je fus le seul à manifester une insolente santé. La confiance de mon père en la Providence en prit un vieux coup. Vraiment, je découvrais le monde.

Ce fut le troisième dimanche d'août que tout commença — en un certain sens — à se gâter. D'abord, ce jour-là, la nature nivernaise me semblait insolite, peut-être même hostile. Des eaux limoneuses, des lointains brouillés et un ciel invraisemblable: toute une cavalcade de nuages, blancs, roses, sépias, qui se chevauchaient en caracolant. Cela m'inspirait, mais déroutait mon père. À un moment d'éclaircie, il me dit: «Regarde le ciel, on le dirait parcouru par de grands vols d'archanges, de séraphins... C'est céleste!»

Je voulus alors faire le malin. N'avais-je pas droit, moi aussi, à toute une métamorphose? Mais, hélas! pourquoi fallut-il soudain que j'aie le souvenir d'une petite phrase, surprise à l'école, entre deux lurons délurés? Je dis alors, bien innocemment: «Moi, papa, c'est pas ça que je vois dans les nuages... j'y découvre des poitrines somptueuses et des mollets prometteurs...» Mon père se tourna vers moi. Je vis ses yeux chavirer. Il ne dit qu'un mot: «Rentrons». On plia bagage et on se dirigea vers notre «folie». Directement, sans passer par la cathédrale. Cet après-midi-là, j'aurais donné n'importe quoi pour assister aux vêpres. Arrivé chez nous, je cherchai dans mon *Petit Larousse* le sens des mots «prometteurs» et «somptueux». Vraiment, pas de quoi fouetter un chat. Pauvre papa. Pauvre monde!

Avec les dimanches, mon imaginaire s'épanouissait. Et le plus grave, le plus important de tous les imaginaires, celui de l'enfance. «L'archétype des archétypes», comme on le dirait avec Bachelard. De l'émerveillement, de l'intuition, le sens du mystère, le surrationnel et peut-être même une certaine perversité. Certains de mes copains, en classe, possédaient aussi cet imaginaire. Nous étions en pleine complicité. D'autres deviendraient bientôt des «hommes faits», au sens où l'on dit d'un camembert qu'il est «fait».

D'ailleurs, avec les dimanches, tout changeait. L'apocalypse, avant d'être, plus tard, la fulgurance nucléaire, serait, pour les mois suivants, celle des tranchées boueuses de la sale guerre. Mes parents, à table, lorsqu'ils voulaient que je ne comprenne pas, parlaient, disaient-ils, «en anglais». Horrible mélange d'anglais pointu et d'auvergnat chuintant. Ça me frustrait terriblement et développa chez moi une puissante — et définitive — allergie à la langue anglaise.

J'appris tout de même qu'on était en guerre. «Trois cents jeunes Nivernais vont partir demain. On ira les voir défiler avenue de la Gare. Il paraît qu'ils auront une fleur au fusil.» Jean-

Yves, un voisin de 19 ans, était de ceux-là. Ma
sœur, qui l'aimait bien, lui donna une mar-
guerite pour son fusil. Mais moi, je lui proposai
une grosse fleur de géranium, rouge sang. Ce fut
celle-ci qu'il accepta. Sinistre prémonition. À
l'automne, on apprit qu'il avait été «au champ
d'honneur». Mais on n'en parla pas dans les
journaux: c'était au moment où Charles Péguy
tombait, lui aussi, en première ligne. Alors, vous
comprenez...

Cet été-là, l'été de mon imaginaire, m'avait
marqué à jamais. Je pus aimer l'expression-
nisme, le formalisme, et tous les ismes, derrière
lesquels se dissimule l'art, ou son absence, mais
cet été-là, non, jamais je ne l'oublierai.

Un effet de pluie...

Robert Lévesque

Aux yeux de nombreuses personnes, Robert Lévesque, c'est avant tout l'enfant terrible de la critique montréalaise. Depuis bientôt une dizaine d'années, ses papiers dans LE DEVOIR créent souvent l'événement dans le monde du théâtre. À la veille de chaque première, la question, en forme d'appréhension, est sensiblement la même d'une troupe à l'autre: que va penser, que va écrire Lévesque?

Avant de venir à la critique théâtrale qu'il pratique avec rigueur et ascétisme — ou presque! —, Robert Lévesque s'est initié aux diverses facettes du métier de journaliste. D'abord à Rimouski, son pays natal, puis à Québec et à Montréal. Il a été des équipes de Québec-Presse, du Jour avant d'entrer au DEVOIR où il a approfondi sa spécialité en information culturelle.

C'est à la section «culture et société» du DEVOIR qu'il se joint dès son arrivée, rue du Saint-Sacrement. Il dirigera d'ailleurs ces mêmes pages durant quelques années (de 1984 à 1988). Mais c'est avant tout comme critique théâtral qu'il fait sa marque, qu'il devient une signature obligée et parfois même redoutée. C'est d'ailleurs en reconnaissance de l'exceptionnelle qualité de ses textes que le jury du concours Judith Jasmin lui remet, en 1989, son Grand Prix, section presse écrite.

Cette passion du théâtre n'a pas empêché Robert Lévesque de jeter un regard curieux sur certaines pages de l'histoire du Québec. Avec la collaboration de l'historien Robert Migner, il a déjà publié deux biographies: Camilien Houde (Éd. des Brûlés, 1978; Éd. de l'Hexagone, 1980) et Le curé Labelle (Éd. La Presse, 1980).

Né à Cabano, Robert Lévesque se souvient de ce soir terrible du printemps 1950 où le ciel s'est embrasé dans cette petite ville endormie près de la rivière...

À la vérité je ne le sais pas, mais j'avais sans doute mangé de la tarte aux pommes...

Deux fois.

Sans doute, puisque cette soirée-là commença comme toutes les autres. J'étais un petit garçon heureux, seul sur la grande galerie, le ventre plein, rassuré d'apercevoir de temps en temps sa mère par la fenêtre de la cuisine.

Il était six heures et demie du soir, à ce moment où la crainte d'être touché par la catastrophe d'aller au lit est assez loin pour ne pas détruire d'un coup un monde, et vous laisser seul avec des moutons à compter.

J'avais cinq ans. C'était le mois de mai, et, ça j'en suis certain, il ventait. Il ventait! Dans la rue, des gamins plus âgés affrontaient les bourrasques en rangs serrés. De la galerie, j'observais le jeu.

Mes deux sœurs, à neuf et dix ans, avaient le droit d'aller jusqu'au bout de la rue, échappant à ma vue; ces promeneuses m'avaient laissé seul.

Mon père était sorti.

J'ai su depuis que c'était un vendredi. Au fait, nous étions en 1950 et c'était le 5 mai.

Soudain, vu de ma galerie, il sembla que le cours du monde allait changer. Des adultes remplaçaient les gamins en courant contre le vent.

Je vis ma mère sortir et venir vers moi. Un voisin cria. Le feu. La ville. Il y avait la ville, et le feu, et tout le monde courait. Ma mère me prit la main pour regarder la course; le vent était si fort, si lourd, si chaud...

À cinq ans, on sent l'inquiétude de sa mère. Je voyais bien qu'il se passait quelque chose, mais une crainte à la fois étrange et familière me rassurait presque...

Ma mère prit ma main dans la sienne en disant des apaisements. Mon père reviendrait. Il n'y avait rien à craindre. Tout ça était loin de chez nous. Il faudrait bientôt se coucher. Oui, il y avait le feu à l'autre bout de la ville. Nous irions voir demain... les camions de pompiers!

Mais où étaient mes sœurs? Et mon père?

Vingt minutes passèrent, qui durèrent une vie. À la radio, quelqu'un parlait d'un Grand Incendie, et la récitation du chapelet, que ma mère écoutait depuis la galerie, avait des allures de course.

Nous étions, ma mère et moi, en état d'apesanteur.

Tout cela commençait à me plaire...

Je n'oublierai jamais ce moment où, apercevant mes sœurs au bout de la rue, qui revenaient en courant, ma mère me prit dans ses bras pour aller à leur rencontre. Elles étaient plus excitées que peureuses, mes sœurs; cette fugue au-delà de la limite permise n'était plus une faute parce qu'elles revenaient avec tout à raconter. Il y avait le feu partout vers la rivière, dans les rues autour de l'hôpital. On disait la ville entière qui brûlait...

Nous revînmes à la maison. On voyait déjà, dans le ciel assombri, les premières étincelles et je ne tenais plus en place. Il fallut que ma mère m'interdise de monter à l'étage où, pour tout voir, j'avais le projet de sortir sur le toit de la galerie!

J'étais consigné à la cuisine. Ma mère, voulant cacher sa peur, devenait autoritaire; ce qui lui allait mal. Je ne pouvais plus retourner sur la galerie! Nous attendions, assis près du poste de radio, moi les yeux rivés à la fenêtre dans un guet des flammes.

Mon père arriva. Il était au volant d'un camion qu'il gara devant la maison. En entrant, il blagua en disant que nous allions déménager... cette nuit. Et c'était vrai, parce que je l'entendis demander à ma mère de ranger dans des boîtes les choses importantes, et la coutellerie, des vêtements. Je n'en croyais pas mes yeux et mes oreilles.

À ma vigie dans la fenêtre de la cuisine, je scrutais tout de la nuit noire et rougeoyante. J'étais devenu familier des bouquets d'étincelles, et je criai très fort lorsque je me rendis compte que celles-ci étaient devenues de gros tisons volants.

Mon père était déjà sur le toit, avec mon voisin; ils arrosaient la maison et de ma fenêtre j'avais un effet de pluie. La cuisine était déjà encombrée de caisses. Je ne tenais plus en place. L'avance du feu, la perspective de partir (nous irions chez mes grands-parents à la campagne, mon père l'avait assuré), l'absence de contraintes (on ne parlait plus de se coucher, il était tard), tout cela formait un bonheur dont je me souviens précisément.

Soudain, deux hommes en cirés noirs entraient dans la cuisine. Sans frapper. Je les dévisageai comme s'ils étaient des diables montés de l'enfer. Ils demandaient à ma mère, non ils ne demandaient pas ils prenaient sans attendre la grande croix noire qui m'avait toujours fait peur là-haut au-dessus du réfrigérateur. On trouvait dans les maisons, à cette époque, une croix dite de la Tempérance, faite de deux planches de bois peintes en noir.

Ils les ramassaient toutes, disaient-ils, pour les jeter devant le feu qui approchait de la cathédrale. Ces sapeurs-croisés m'épouvantaient. Ils étaient repartis sans saluer et quelque chose me disait que ça tournerait mal... lorsque nous, romanichels heureux ayant fui la nuit des lieux dangereux, serions en route vers la maison de grand-maman...

Il fallut, soudain, que ma mère ait l'idée de

m'envoyer au dodo! Zut! C'était trop beau! Il
était onze heures du soir. Pour me convaincre,
ma mère m'installa dans son lit en disant qu'elle
reviendrait me chercher dans une demi-heure.
Je me revois encore dans ce grand lit. Lumière
éteinte. Plaintes du vent. Sirènes lointaines. Il
était insensé de dormir.

Je me rassérénais en imaginant la tête de ma
grand-mère, sa belle chevelure rousse et si
longue lorsqu'elle la détachait, son sourire qui
nous accueillerait à l'aube. Et... je m'endormis...

Arriva dans la chambre une de mes sœurs
qui me criait de la suivre, tout de suite. La
maison était complètement vide et plongée dans
le silence; ma sœur me tirait par la manche de
mon pyjama et nous sortions dans la rue où
plein de gens semblaient morts. Tous étendus
face au sol, recouverts de cirés noirs avec chacun
une croix de bois noir plantée dans le dos et qui
flambait légèrement.

Mais nous étions tranquilles. Nous savions
que ma mère n'était pas de ceux-là. Elle était
allée acheter des fruits pour le voyage, des
cadeaux pour grand-maman!

Retourne-toi! Ma sœur m'ordonnait de regarder là-haut. On voyait mon père; il arrosait
notre maison qui était la seule de la rue à être
toute éclairée, reluisante, résistante. Il nous fit
de grands signes de la main lorsque soudain,
perdant pied, il glissa, il roula sur le toit; il
tombait...?

Je me réveillai en sursaut. Le silence avait cassé mon rêve. Il ne ventait plus. En descendant, je trouvai ma mère, dans la cuisine, qui sortait des assiettes d'une boîte. Il me fallut un certain temps pour comprendre que le sourire de ma mère annonçait la fin de l'aventure. Nous ne deviendrions plus des nomades.

J'ai dû me recoucher. Et me rendormir. Un verre de lait et un câlin ont suffi.

Le lendemain, avec mon père, j'étais heureux de marcher dans la partie incendiée de la ville. Nous circulions dans un monde de suie et de cendres, d'arbres calcinés et de ruines fumantes.

C'était un paysage de cheminées noires et de familles hagardes. Je devais afficher un sourire insolent parce que mon père, au bout d'un certain temps, décida de me ramener à la maison.

Paysages d'un
peintre primitif

Dany Laferrière

Installé à Montréal depuis 1978, Dany Laferrière s'est taillé une place bien à lui dans le milieu artistique. Sa faconde, son humour et un don qui transforme la provocation en surprise, tout cela l'a fait connaître du grand public. Il a d'ailleurs été de la première équipe de journalistes de la station Quatre-Saisons à l'époque, pas si lointaine, où l'on croyait révolutionner le monde de l'information en espérant transformer les reporters en de véritables bêtes de somme. On le voit par la suite à Radio-Canada où il fait partie de la «Bande des six» où l'on malmène joyeusement auteurs et artistes, interprètes et créateurs.

Mais c'est la publication de son premier roman Comment faire l'amour avec un nègre sans se fatiguer (VLB, 1985), qui lui a valu une célébrité quasi instantanée dans le monde des lettres. Non seulement a-t-il imaginé et osé un titre à faire rougir le plus chaste des puritains, il s'est aussi hasardé à mettre en scène tabous et interdits.

Transformer un immigrant noir en «étalon» conscient de sa valeur, à l'œuvre dans les milieux *très WASP de l'Université McGill, le programme relève du défi. Pas surprenant que l'éditeur torontois ait dû se résigner à ne conserver, en traduction, que la première partie du titre. «Shocking, indeed», aurait-on chuchoté à Rosedale...*

En 1987, Dany Laferrière récidive avec un autre roman au titre équivoque, Eroshima *(VLB), qui désoriente la critique, mais qui laisse espérer un troisième ouvrage.*

Il a signé depuis peu un contrat avec le réseau anglais de Radio-Canada pour écrire le scénario d'une comédie musicale au titre provisoire qui, lui aussi, est déjà un programme: Ziggy Gonna Get It...

J'ai passé mon enfance à Petit-Goâve, à quelques kilomètres de Port-au-Prince. Si vous preniez la Nationale Sud, c'est un peu après le terrible morne Tapion. Laissez rouler votre camion (on voyage en camion, bien sûr) jusqu'aux casernes (jaune feu), tournez tranquillement à gauche, juste une légère pente à grimper et essayez de vous arrêter au 88 de la rue Lamarre.

Il est fort possible que vous voyiez assis sur la galerie: une vieille dame au visage serein et souriant à côté d'un petit garçon de huit ans. La vieille dame c'est ma grand-mère. Il faut l'appeler Da. Da, tout court. L'enfant c'est moi. Et c'est l'été 61.

De fortes fièvres

Quand on y pense bien, il ne s'est rien passé durant cet été sinon que j'ai eu huit ans. Il faut dire que j'ai été un peu malade (de fortes fièvres) et c'est pour cela que vous m'avez trouvé assis tranquillement au pied de ma grand-mère. Selon le bon docteur Cayemitte (un beau nom de fruit tropical), je devais garder le lit durant toutes les grandes vacances. Da m'a permis de rester sur la galerie à écouter les cris fous de mes copains qui jouent au foot, pas loin, juste dans le parc à Bestiaux. L'odeur du fumier me monte aux narines. Et ça reste pour moi jusqu'à aujourd'hui le plus puissant appel au plaisir pur.

Le paysage

On dirait un dessin d'enfant avec, au loin, de grosses montagnes chauves et fumantes. Là-haut, les paysans ramassent le bois sec et mort pour le brûler. Je distingue les silhouettes d'une femme, d'un homme et de trois enfants dans le coin du morne Soldat. Da dit que j'ai un œil d'aigle. Je peux aussi sentir la pluie bien avant l'arrivée des gros nuages noirs. L'air est légèrement plus frais.

La mer

Je n'ai qu'à me tourner pour voir un soleil rouge plonger dans la mer turquoise. Nuance: la mer des Caraïbes n'est pas bleue.

La rue

Notre rue n'est pas droite. Elle court comme un cobra aveuglé par le soleil jusqu'au morne Jubilée.

Tout le monde s'arrête pour parler à Da. Et Da leur offre du café.

— Comment ça va, Da?

— Bien, Absalom.

— Très bien. Vous ne prenez pas une gorgée de café?

— Je ne refuserai pas, Da.

L'odeur du café

Da est assise sur une grosse chaise solide avec à ses pieds une cafetière. C'est là qu'elle attend la fin du monde. Da s'imagine que le paradis c'est uniquement la possibilité d'avoir du café à volonté. Elle se lève de temps à autre pour aller faire réchauffer son café. Le café de mon enfance garde son arôme intact 29 ans plus tard. Je ne bois plus d'autre café.

Les fourmis

La galerie est pavée de briques jaunes. Dans les interstices vivent des colonies de fourmis. Il y a les petites fourmis noires, gaies et un peu folles. Les fourmis rouges, cruelles et carnivores. Et les pires, les fourmis ailées. Une image de cet été-là: une libellule couverte de fourmis.

Chien

On a un chien, mais il est si maigre et si laid que je fais semblant quelques fois de ne pas le connaître. Il a eu un accident et depuis il a une drôle de démarche. On dirait qu'il porte des chaussures à talons hauts et qu'il a adopté la démarche prudente et élégante des vieilles dames qui reviennent de l'église. On l'appelle Marquis, mais mes amis le surnomment Madame la marquise.

Bicyclette

Cet été encore, je n'aurai pas la bicyclette tant rêvée. La bicyclette rouge promise. Bien sûr, je n'aurais pas pu la monter à cause de mes vertiges, mais il n'y a rien de plus de vivant qu'une bicyclette contre un mur. Une bicyclette rouge.

La mort

Da aime faire de vieux os. Elle aime veiller tard. Et une fois, elle a vu Gédéon suivi de son chien blanc qui se dirigeait du côté de la rivière. Et cela, un mois après la mort de Gédéon. Da n'a peur de rien. Elle a même appelé Gédéon qui se cachait derrière un grand chapeau de paille. Il a murmuré quelque chose que Da n'a pas compris. C'était bien Gédéon puisque son chien le suivait.

Robe jaune

Je ne l'ai pas vue venir. Elle est arrivée dans mon dos, comme toujours. Elle revenait de la messe d'après-midi avec sa mère. Vava habite en haut de la pente. Elle porte une robe jaune comme la fièvre du même nom. Qu'est-ce qui fait qu'aujourd'hui encore en pensant à cette histoire j'ai le souffle coupé?

Jeu

Il fait presque noir et ils continuent à jouer dans le parc. Ils ne s'arrêteront que quand il fera tout à fait noir et que personne ne pourra plus voir le ballon. Une fois, on a continué malgré la noirceur. C'est toujours comme ça dans les derniers jours de l'été. On a envie d'aller au bout de tout.

Vieux os

Da est rentrée faire du café neuf. Je crois qu'on fera de vieux os, ce soir.

La cabane
dans le petit bois

Yves Beauchemin

Trois romans en quinze ans, la production ne brille peut-être pas par l'abondance. Mais quel succès! Deux des livres de Yves Beauchemin constituent de réels «best-sellers» au sens communément admis des deux côtés de l'Atlantique. Et, détail important en regard d'une pratique littéraire cloisonnée, Yves Beauchemin est d'abord allé cueillir la faveur populaire avant d'imposer son poids et son étoile. Sa bonne étoile, doit-on s'empresser d'ajouter!

D'enseignant à romancier, le parcours n'aurait rien de surprenant pour cet exilé d'un Abitibi qui n'est pas de rêve. Mais Yves Beauchemin est venu lentement, selon son rythme propre, à l'écriture romanesque. Il a trouvé le temps de s'initier à la télévision à la faveur d'un long séjour à Radio-Québec où il s'est notamment occupé de recherches musicales...

Et puis, en 1974, Alain Stanké, alors directeur littéraire des Éditions de La Presse *se rend aux arguments du doyen des libraires de Montréal, M. Henri Tranquille, et publie* L'Enfirouapé. *Quatre ans après octobre 70, le roman éveille des souvenirs qui n'étaient pas encore assoupis. Cette coïncidence ne réussit pas à voiler les qualités intrinsèques de cet ouvrage où Rabelais lui-même se délecterait devant cette truculence «made in America».*

En 1981, dans la torpeur de l'après-référendum, Yves Beauchemin fait éclater les digues. Dès sa parution, chez Québec/Amérique, Le Matou *rejoint* Les Insolences du Frère Untel *au chapitre des ventes. La critique, qui avait souligné les qualités de l'auteur à la publication de* L'Enfirouapé, *entérine le jugement populaire. La littérature québécoise vient de se donner son premier best-seller: un roman urbain, qui n'est pas sans rappeler le filon exploité naguère par Roger Lemelin au sortir de la Seconde Guerre mondiale.*

La suite de l'histoire est connue. Succès de vente au Québec, en France, nombreuses traductions. Le Matou *a dépassé depuis belle lurette le million d'exemplaires. Le film et la série télévisée qui en ont été tirés prolongent le succès et le rayonnement d'un texte merveilleusement travaillé.*

Méthode Beauchemin, huit ans s'écoulent avant la sortie d'un nouveau roman. Juliette Pomerleau *(Québec/Amérique, 1989) surprend et charme tout à la fois les inconditionnels de Beauchemin. L'écriture s'est étoffée sans se départir de cette spontanéité, de ce ton apparemment primaire. Et le succès s'inscrit sur la feuille de route de Yves Beauchemin, devenu administrateur chez son éditeur, mais toujours aux avant-postes lorsqu'il s'agit de défendre la langue française ou de réclamer l'accession du Québec à un nouveau statut constitutionnel.*

Pendant le souper, monsieur Duval avait remarqué avec un curieux sourire de contentement:

— Encore dix jours, et l'école recommence.

Il avait pris une bouchée d'omelette, puis avait ajouté:

— Les vacances sont finies. Celles de votre mère vont enfin commencer.

— Allons, Charles, avait répondu celle-ci en déposant la cafetière sur la table, à part cette histoire de peinture, ils n'ont pas été si terribles que ça.

Michel et Robert avaient grimacé discrètement, la tête penchée au-dessus de leur assiette. Assise dans sa chaise haute devant une petite étendue de pomme de terre en purée artistement modelée, Anne avait continué de gazouiller d'un air parfaitement indifférent.

Dans son lit ce soir-là, Michel avait décidé de terminer l'été d'une façon grandiose:

— On va se construire une cabane. Une tabarouette de belle cabane.

Et les idées s'étaient mises à affluer dans sa tête avec une telle abondance que ses jambes s'étaient remplies de frémissements électriques qui l'avaient tenu éveillé jusque tard dans la nuit.

À quelques pieds de lui, son frère jumeau dormait profondément, la bouche entrouverte, un livre à la main.

Au déjeuner, il lui avait fait part de son projet et Robert s'était enthousiasmé. Ils avaient filé vers le petit bois qui s'élevait sur le bord du lac, séparé de la maison par un immense champ de foin.

— Celui-là, avait proposé Michel en désignant un cèdre imposant qui se dressait tout droit dans la pénombre verte et bleue.

Ils avaient grimpé dedans, avaient repéré les branches qui soutiendraient le plancher, puis leur regard s'était abaissé, ravi: ils se trouvaient à une dizaine de mètres du sol. À travers le lacis des branches, on apercevait au loin leur maison et celle du voisin, monsieur Chalifour.

— Un nid d'aigle! un vrai nid d'aigle! avait lancé Robert, grand amateur de romans d'aventures.

— Y'a pas un gars au village qui aura une cabane comme ça. Mais il faut d'abord la faire, avait ajouté Michel avec réalisme.

Les jumeaux avaient décidé de s'associer à André Therrien, malgré ses neuf ans qui le privaient de la prodigieuse maturité dont ils jouissaient eux-mêmes. Il habitait près de la gare et c'était un petit garçon tout maigre et souffreteux, à la voix et au nez pointus, qui avait les larmes tellement faciles que ses compagnons l'avaient surnommé Champlure. Michel et Robert ne le tenaient pas en très haute estime, mais deux jours auparavant, son père lui avait fait cadeau d'un gros baril d'aluminium qui avait déjà contenu du lait en poudre et ce baril s'avérait indispensable à l'établissement d'un système d'eau courante, dont ils voulaient doter leur cabane.

Ils se rendirent chez lui.

— Je vous prête mon baril! décida-t-il aussitôt, très flatté de pouvoir s'associer à deux garçons de douze ans pour une entreprise aussi importante.

Il leur fallut une bonne heure pour hisser et fixer convenablement le baril dans l'arbre, à un mètre environ au-dessus de l'emplacement de la future cabane, à laquelle il devait être relié grâce à un bout de tuyau d'arrosage terminé par un robinet. Michel envoya Robert et André à la recherche de bouts de planches et de madriers et se rendit chez lui pour chiper des clous et un vieux robinet que son père avait rangé dans la cave la semaine d'avant. À son arrivée à la maison, il aperçut au bout du jardin sa mère en grande conversation avec madame Tremblay. Il fila dans la cave et trouva non seulement le robinet et une grande quantité de clous, mais du mastic, de la broche et une vieille fenêtre à la vitre fêlée, encore tout à fait bonne. Il glissa le tout à l'extérieur par un soupirail, puis apparut sur le perron, les mains dans les poches, l'air innocent. Sa mère donnait des radis et des tomates à madame Tremblay qui, en échange, semblait-il, avait déposé sur un poteau de la clôture un bocal de cornichons.

Michel contourna la maison, attrapa son butin et se dirigea silencieusement vers le bois en passant derrière le hangar, ce qui lui permettait d'échapper aux regards de sa mère jusqu'à l'herbe haute.

Robert et André s'avançaient le long du jardin avec une brassée de bouts de planches.

— Qu'est-ce que vous me préparez là, vous autres? demanda madame Duval avec méfiance.

— On veut construire une cabane dans le petit bois, répondit Robert.

— Pas d'opération casse-cou, hein? Ça fait deux fois cet été que le docteur te fait des points de suture.

La journée passa tout entière au rassemblement des matériaux. Mais la récolte était maigre. Vers quatre heures, André arriva triomphalement avec un tabouret de piano:

— C'est ma mère qui me l'a prêté. À condition qu'on lui fasse très attention.

Les jumeaux doutèrent très fortement de la véracité de ces paroles, mais décidèrent de ne pas creuser l'affaire davantage.

À six heures, ils avaient cloué la structure du

plancher dans l'arbre, mais la pénurie de planches bloquait le projet.

— J'ai une idée, fit tout à coup Michel en revenant à la maison avec ses compagnons.

À deux pas de chez lui, dans une grande maison blanche et verte surmontée d'un belvédère tout délabré, vivait un vieux couple solitaire. L'homme, un ancien menuisier, était détesté de tous les enfants du village; sa femme, percluse d'arthrite, passait ses journées dans la véranda à tenter de réchauffer ses os malades. De temps à autre, madame Chalifour demandait à un enfant de lui faire une course en échange d'une poignée de bonbons. Quand il s'en apercevait, son mari pestait contre elle et renvoyait l'intrus en faisant de grands moulinets avec ses bras, accusant les enfants de mettre toute sa cour à l'envers. Si on le rencontrait dans le village, il filait tout droit sans un mot, le regard sombre, avec un léger tremblement dans les mains. Monsieur Duval avait expliqué un jour que l'abus du gros gin lui avait un peu dérangé le ciboulot, mais que, de toute façon, en trente ans, il ne l'avait pas vu trois fois de bonne humeur. Il passait ses journées dans un va-et-vient perpétuel entre la cour et la maison, occupé à de petits travaux ou errant sur son terrain, le regard soupçonneux, cherchant à débusquer les petits malfaiteurs venus lui chaparder ses biens — ce qui arrivait parfois.

Derrière sa maison se dressait un hangar rempli de vieilles planches. Il suffisait, expliqua

Michel, d'attendre à neuf heures que le vieux
zouf soit couché, puis de pénétrer discrètement
par l'arrière du hangar en creusant sous le mur,
et la pénurie de matériaux qui risquait de faire
avorter leur projet se résorberait en une demi-
heure.

L'expédition eut lieu le soir même, dans la
sueur et les tremblements. Le lendemain, les
quatre murs de la cabane étaient terminés et un
tuyau d'arrosage, apparu miraculeusement, par-
tait du baril, colmaté avec de la plasticine, prêt à
alimenter les occupants en eau fraîche.

Restaient le toit et la porte. Il aurait été im-
prudent de ne pas diversifier ses sources d'ap-
provisionnement.

— Si on allait près de l'ancien moulin à scie?
proposa André de sa voix fluette. J'ai vu un gros
tas de planches là-bas, le printemps dernier.

Le moulin était à deux kilomètres et on avait
brûlé le tas de planches. Mais ils revinrent avec
quelque chose de bien plus précieux. En fouinant
autour du bâtiment, ils virent surgir d'un buis-
son un petit chien bâtard efflanqué et miséreux,
le poil sale, les oreilles cassées en accents cir-
conflexes, les pattes comme des bûches, la queue
trop longue, curieux mélange d'épagneul et de
bouledogue. Le petit André poussa un cri et
s'enfuit à toutes jambes. Robert glissa la main
dans sa poche, s'avança vers l'animal et lui
présenta un morceau de brioche, considérable-
ment écrapouti. Le chien, d'abord effrayé, le

renifla prudemment, finit pas l'avaler, puis se laissa flatter, lécha une main, agita la queue. Quelques minutes plus tard, un pacte d'amitié indestructible s'établissait entre lui et les deux enfants. Il les suivit jusqu'à la maison. En l'apercevant, leur mère poussa un cri:

— Où avez-vous trouvé cette horreur? Je ne veux pas le voir dans la maison, m'entendez-vous?

—Alors, il restera dans notre cabane, décida Michel.

L'animal mourait de faim. Madame Duval accepta de lui donner un restant de spaghetti. Il vida le plat d'un coup de langue, puis suivit les enfants jusqu'au bois et, après quelques réticences, se laissa hisser dans la cabane inachevée, qu'il sembla trouver fort confortable, car, à leur grand ravissement, il se coucha dans un coin pour y dormir.

Mais il lui fallait un toit. Dans la soirée, après bien des supplications, les jumeaux obtinrent de leur père la permission de démolir une énorme caisse ayant contenu un moteur de bateau et qui traînait dans le garage depuis des années. Monsieur Duval grimpa même dans le cèdre pour consolider l'installation plutôt douteuse du fameux baril d'aluminium qui devait leur servir de château d'eau.

— D'où vient ce tuyau d'arrosage? demanda-t-il.

— On l'a trouvé au dépotoir, mentit Robert.

Deux jours plus tard, la cabane était ter-
minée. C'était un curieux parallélogramme de
trois mètres de côté, recouvert d'un toit gou-
dronné, percé d'une immense fenêtre et meublé
d'un tapis moisi qui servait au chien (surnommé
Misère), du fameux tabouret à piano, de deux
bûches faisant office de bancs, d'une table ban-
cale et de trois verres en plastique. Robert y
avait apporté tous ses romans, Michel sa pré-
cieuse lampe de poche, André sa radio portative
et la plus merveilleuse partie de l'été commença
à se dérouler à dix mètres au-dessus du sol. Le
remplissage du baril demanda toute une avant-
midi et une notable partie de son contenu servit
à étancher la soif des porteurs d'eau suants et
courbaturés.

Misère se montra un compagnon exquis; trois
ou quatre fois par jour, il se laissait hisser au
bout d'une corde jusqu'à la cabane avec une
patience et une docilité touchantes; on aurait pu
le réduire en bouillie, semblait-il, sans qu'il cesse
de frétiller de la queue. Michel et Robert l'avaient
entraîné à transporter de petits objets dans sa
gueule et il faisait souvent la garde dans la
cabane en l'absence de ses jeunes maîtres.
Cédant aux supplications des jumeaux, madame
Duval avait accepté qu'il passe la nuit dans un
appentis qui donnait sur la cuisine. Michel et
Robert, eux, s'étaient engagés à ce que l'animal
ne pénètre jamais dans la maison. Mais ils
comptaient bien sur leur ténacité et l'effet du

temps pour se libérer de cette impossible pro-
messe.

— Je ne sais pas ce qu'ils ont mangé, s'étonna
leur mère, deux jours plus tard. On ne les voit
plus, on ne les entend plus, et quand ils sont
dans la maison, ils ne font pas plus de bruit
qu'un papillon.

— C'est qu'ils s'amusent, répondit son mari.
Ils profitent de la fin de l'été. Et puis cette
espèce de drôle de chien les a comme enjôlés.

Mais, à cause de lui, les vacances allaient
connaître une fin amère.

Quelques heures à peine après cette conversation, monsieur Chalifour faisait irruption,
furieux, au milieu du souper en brandissant une
main enveloppée d'un chiffon sanglant.

— Mon cher ami, lança-t-il à monsieur Duval
interloqué, laissez-moi vous dire encore une fois
que vos enfants sont des voyous — et, en plus,
des voleurs, oui, monsieur, des voleurs! Et, pour
compléter le bouquet, à cause d'eux, je viens de
me faire mordre par l'espèce de maudit chien
bâtard que vous avez ramassé Dieu sait où et
qui vient toujours faire ses crottes dans ma cour.
Eh bien! ça ne restera pas là, je vous en passe un
papier!

Du coup, la petite Anne éclata en sanglots
dans sa chaise haute.

Monsieur Duval se leva de table:

— Je vous en prie, calmez-vous. Qu'est-ce qui
s'est passé?

En cherchant son tuyau d'arrosage dans le hangar, monsieur Chalifour avait constaté sa disparition, comme celle de quatre belles planches de pin qu'il gardait pour la réparation de sa galerie. Flairant un coup des jumeaux, il s'était rendu à leur cabane et avait aussitôt reconnu le tuyau et les planches, devenues inutilisables. Malgré son âge, il avait grimpé dans l'arbre pour récupérer une partie de son bien, mais Misère, qui faisait la garde, l'avait mordu à la main gauche au moment où il redescendait.

Monsieur Duval lui conseilla d'aller voir le docteur sur-le-champ et promit de le dédommager aussitôt qu'il aurait tiré cette histoire au clair. Puis il se tourna vers les jumeaux atterrés et attendit leurs explications.

Ces derniers durent rembourser le vieil homme à même leurs économies (— Moi, ça ne me fait rien, déclara froidement Michel à ses parents avec un haussement d'épaules, mais vous n'aurez pas de cadeaux à Noël) et passèrent la soirée et le lendemain avant-midi en pénitence dans leur chambre. Mais le pire fut évité: Misère, qui n'avait que rempli son devoir de gardien, ne fut pas renvoyé. Et quelques jours plus tard, cette malheureuse histoire commençait à s'estomper dans l'esprit de tout le monde — ou, du moins, c'est ce que croyaient les jumeaux.

Un soir, vers dix heures, ils furent brusquement réveillés par une détonation. Le bruit semblait provenir de la cour.

— Restez ici, ordonna monsieur Duval en arrivant dans la cuisine, le pantalon à demi enfilé, je vais voir ce qui se passe.

Il s'empara d'une lampe de poche et sortit. Michel et Robert s'étaient précipités dans l'appentis. Ils revinrent aussitôt, livides:

— La porte est entrouverte. Misère est sorti.

Madame Duval ne put les retenir. Ils s'élancèrent dans l'obscurité à la suite de leur père, suivis de quelques voisins, que le bruit avait attirés.

Monsieur Duval se tenait immobile à côté du hangar, sa lampe de poche braquée sur le sol où l'on apercevait une masse immobile. C'était Misère, couché sur le flanc, la gueule ouverte, l'œil fixe. D'un petit trou près de l'oreille coulait un filet de sang que buvait l'herbe.

— Je suis sûr que c'est lui, murmura Duval en tournant la tête du côté du voisin.

Et il se mit à sacrer à voix basse, chose qui ne lui arrivait jamais. Mais ses fils, pétrifiés, ne l'entendaient pas.

— Allons, viens-t'en, fit madame Duval en prenant la main de Robert, on ne peut plus rien pour cette pauvre bête, maintenant. C'est que je commençais à m'y attacher, moi...

Elle se mit à fixer la maison des Chalifour, où ne brillait aucune lumière, mais n'osa pas exprimer tout haut sa pensée.

Robert se mit à sangloter.

— Peut-être qu'il est juste blessé, maman?

Peut-être qu'on peut le sauver?

— Mais non, mon pitchou... il a reçu une balle dans la tête, ton chien. C'est foutu.

— Qu'est-ce que papa va en faire, maintenant?

— Il va l'enterrer, demain matin. Qu'est-ce qu'on peut faire d'autre?

Robert dut s'arrêter, car les sanglots l'étouffaient.

«Quand même, pensa-t-elle en s'accroupissant devant lui pour le prendre dans ses bras, il faut vraiment être sans cœur pour faire une chose pareille à des enfants.»

— Je suis sûr que c'est monsieur Chalifour, hoquetait Robert, je suis sûr que c'est lui!

Michel se tenait à ses côtés, silencieux, le visage fermé, tout mince dans son pyjama que le vent de la nuit faisait palpiter. Il observa son père en train de glisser le chien dans un sac de jute avec l'aide d'un voisin, puis rentra à la maison.

Le lendemain fut une journée bien triste. Après l'enterrement de Misère près du jardin, les jumeaux se mirent à errer autour de la maison la tête basse, les mains dans les poches, en crachant avec rage dans la poussière. Le cœur leur chavirait à l'idée de retourner à la cabane. Cette après-midi-là, monsieur Duval revint du bureau un peu plus tôt que d'habitude et emmena toute la famille faire une excursion en canot à moteur sur le lac. Au retour, madame

Duval évoqua la possibilité d'acheter un chien, mais son idée n'obtint aucun succès. En arrivant à la maison, monsieur Duval décida d'aller trouver son voisin Chalifour pour le questionner sur l'incident; la rencontre se termina évidemment par une engueulade stérile.

Quelques jours passèrent, puis l'école recommença et la vie changea complètement de rythme. La petite Anne, un midi, se cassa un bras en déboulant un escalier et ce drame repoussa l'autre un peu à l'arrière-plan. Michel et Robert n'allaient plus que rarement à leur cabane et parlèrent même de la démolir «pour la remplacer par une plus grosse». Madame Duval les trouvait souvent en conciliabules dans leur chambre et les aperçut une après-midi au fond de la cour en train de fabriquer une croix pour la tombe de leur chien.

Le mois de septembre finissait. Les nuits devenaient maintenant plus fraîches. Vers huit heures, un vendredi soir, monsieur Chalifour se dirigeait vers son hangar pour en ramener une brassée de bois de chauffage lorsqu'il vit un panache de fumée s'élever à l'arrière du bâtiment. Il se mit à courir et ouvrit la porte toute grande. Un brasier rugissait déjà à l'intérieur. Une dizaine de mètres seulement séparaient la maison du hangar. Il s'élança en criant vers la rue pour chercher du secours.

Quand le toit de la maison commença à s'enflammer, Michel se tourna vers son frère

accroupi comme lui devant la fenêtre de leur
cabane. Il tremblait de tout son corps, mais ses
yeux étaient remplis d'une allégresse cruelle:

— Viens, on va aller rejoindre les autres.
Sinon ils vont nous soupçonner.

La nuit des nuits

Paul-André Comeau

Biographie classique. Paul-André Comeau est né à Montréal, mais c'est à Granby qu'il a plongé ses racines et qu'il maintient ses attaches. Après ses études à l'Université de Montréal et à la Fondation nationale des sciences politiques à Paris, il enseigne trois ans à l'Université d'Ottawa avant d'engager une carrière de journaliste sur deux continents.

Les téléspectateurs et les auditeurs de Radio-Canada se sont habitués à le voir raconter l'évolution du Vieux Continent au cours des quinze années où, à Bruxelles et à Londres, il a pratiqué le métier de correspondant. D'une capitale à l'autre, il a été le témoin de cette période de l'histoire contemporaine où l'Occident a vu les «trente glorieuses» s'échouer sur le récif de la récession économique et des deux chocs pétroliers des années 70.

De retour à Montréal, il accède au poste de rédacteur en chef du DEVOIR, en septembre 1985. En janvier 1986, il est amené à assumer l'intérim provoqué par le départ du directeur de l'époque, M. Jean-Louis Roy. Jusqu'à sa démission en août 1990, il signe éditoriaux et grands

*reportages consacrés surtout à cette Europe qu'il
continue à sillonner avec intérêt et curiosité.*

*De sa formation de politologue, il a conservé
le goût de la recherche et de l'enseignement. En
1982, il publie chez Québec/Amérique* Le Bloc
populaire, *ancêtre et inspiration du bloc québécois de l'après-lac Meech.*

Il est tard, si tard. Jamais mes parents ne m'ont laissé veiller aussi longtemps dans la nuit. Mes yeux sont lourds, mes frères et sœurs sont endormis depuis un bon moment. Mais je m'obstine à regarder l'incroyable fête à laquelle je ne comprends rien...

Voilà des heures que le défilé ininterrompu de voisins de villégiature, de résidents du village, de parfaits inconnus même trace une chaîne joyeuse, criarde, d'un chalet à l'autre. Certains arrivent avec «du fort» et en servent des lampées qu'on trouve généreuses. Des bouteilles préservées en vue du grand jour, ajoute-t-on comme pour bien préciser le sens de cette célébration.

Au gré des arrivées, je reconnais parfois l'une ou l'autre personne qui m'avaient réservé un accueil moins chaleureux, quelques jours plus tôt, à la tombée de la nuit. Je m'étais contenté de dire tout simplement, avec ce que j'appellerais plus tard un réalisme résigné: «Me voilà. Punissez-moi.» À vrai dire, je la méritais cette punition, car je venais de réaliser une joyeuse fugue.

J'étais parti après le repas du midi à travers champs pour rejoindre le chemin du Roy que l'on voyait de loin, du chalet juché sur des pilotis à quelques mètres du fleuve Saint-Laurent. Repentigny, à ce moment-là, était encore un gros village rural et prospère. Et le bord du fleuve, jalonné de ces chalets d'été qui composaient le paysage de mes rêves d'enfant.

L'objectif de cette randonnée? Aller chercher du bois de construction — des planches — à la résidence du docteur Perras, médecin et ami de la famille. Il fallait passer devant la petite chapelle blanche, face à la rivière des Prairies, là où elle se perd dans le fleuve. C'est le docteur qui me ramena en catastrophe au chalet dans sa Buick à marchepieds. Avec les planches qui allaient me permettre de construire je ne sais trop quelle cabane.

Ce soir, cette nuit, personne ne songe à me faire la remontrance. À vrai dire, on m'oublie tout simplement tellement la fête est lancée...

Au hasard des conversations, j'en arrive à saisir des éléments d'explication. On fête l'Armistice. On fête grandement. Subitement, les festivités prennent une tournure imprévue, grandiose selon les critères d'un enfant de cinq ans. Cinq ans et demi, faut-il préciser. Mes yeux et mes oreilles ont de la misère à encaisser ce qui est mon premier spectacle de pièces pyrotechniques. C'est le comble de l'émerveillement: de longues traces de couleurs dans le ciel, tout juste au-dessus du fleuve qui s'illumine comme les soirs de gros orage. C'est un feu d'artifices, m'explique-t-on. Cela ne cadre pas du tout avec ma notion d'un feu, moi qui suis né, angle Vinet et Notre-Dame Ouest, tout juste à côté de la caserne des pompiers. Mais enfin, ce n'est pas ce qui me préoccupe...

Finalement, Papa et Maman trouvent le temps de me consacrer une minute pour me mettre au courant de l'objet de cet incroyable brouhaha. L'armistice, c'est la fin de la guerre. Plus tard, j'apprendrai que le Japon venait de capituler. Plus tard, je découvrirai la faute originelle de l'explosion de Hiroshima. Cette nuit-là, alors que, là-bas sur le fleuve, les sirènes n'en finissent pas de mêler leur clameur aux cris et aux chants, le mystère est opaque...

L'armistice, à la fin de la guerre? Des mots qui rendent tout le monde fou, mais qui me plongent dans une forme de méditation à chasser le sommeil. Malgré la journée de jeux et de courses, la dernière journée avant le retour à Montréal, à Sainte-Cunégonde, avais-je appris très tôt à préciser.

La guerre pour moi prenait la forme d'une incantation, entendue à la radio que Papa captait presque religieusement. Une petite phrase simple, mais lourde de plus de mystères que n'en pouvaient intégrer mes cinq ans. Cinq ans et demi! **Le gouvernement s'est réuni, à Ottawa, la nuit dernière,** répétait de temps à autre «l'annonceur». Le mystère était complet. Plus réussi en tout cas que ces exercices d'occultation qui nous avaient bien intrigués, quelques mois auparavant. Il fallait fermer toutes les lumières, baisser les stores, fermer les persiennes pour dérouter d'éventuels avions allemands, m'avait-on appris.

À vrai dire, je ne savais rien de cette réalité omniprésente qu'était alors la guerre. Ce n'est pas tout à fait exact, car je me rappelle bien le sourire de Papa lorsqu'il rapportait à Maman des «tickets» de rationnement. On remplaçait, me paraissait-il, l'argent par de simples billets! Difficile à comprendre pour le fils de gérant de banque que j'étais! En faisant le trajet de Montréal vers Repentigny, Papa nous avait expliqué, en passant à Longue-Pointe, que la base militaire était bourdonnante d'activités. Ça aussi, c'était la guerre telle que je pouvais la visualiser à l'époque où les mots conservaient tout leur pouvoir d'évocation.

Mais le gouvernement qui s'est réuni, la nuit dernière, à Ottawa... tout cela me semblait bien grave, bien compliqué. Un gouvernement, quelque chose de vague mais important, qui fait des réunions en pleine nuit dans un lieu du bout du monde ou presque, à Ottawa... Cette phrase a dû s'infiltrer quelque part dans ma mémoire...

Mais ce soir, cette longue nuit de septembre 1945, je suis sans doute le seul à ruminer des considérations d'un tel ordre. La ronde des visiteurs n'en finit plus de tourner. Voilà même que Papa et Maman nous confient à l'un de nos voisins, le temps d'aller saluer des amis qui eux aussi célèbrent l'Armistice.

Je me suis sans doute endormi durant cette absence de mes parents. Je me souviens seulement de l'odeur du pain chaud, du pain au lait que Papa était allé chercher le lendemain matin chez le boulanger de Repentigny. Ensuite, ce fut le retour vers Montréal, avec toute la famille. Ai-je tenté d'expliquer à mon frère Yvan ce dont j'avais été témoin, la veille, ce que j'avais compris de cette fête invraisemblable? Impossible de me rappeler ce trajet vers la ville où nous allions regagner notre appartement du second étage, tout juste au-dessus de la succursale de la Banque provinciale...

Le souvenir de cette nuit des nuits s'est subitement ravivé quelques mois plus tard lorsque Papa est monté à l'appartement avec, en main, le premier revolver que j'aie vu de mes yeux. Une pièce splendide que j'ai revue encore récemment chez mon frère Yvan. C'était, avait commenté Papa, le revolver d'un officier allemand subtilisé par un soldat canadien au moment de sa capture. Et le mot armistice m'est revenu à la mémoire, l'instant d'imaginer ce qu'on pouvait faire avec cette arme à la crosse nacrée...

Ensuite, je ne me souviens pas d'avoir entendu parler de guerre ou d'armistice pendant des années. En fait, jusqu'en 1950. Fier de mes dix ans et riche d'un savoir que je commençais à acquérir, je m'interrogeais sur le sens des mots nouveaux qui revenaient dans les bulletins d'information. Nations-Unies, Pan Mun Jon, Séoul, Corée. Et puis subitement, il y eut un autre armistice là-bas dans un pays où il neigeait autant qu'au Québec. C'est ce que disait le journal de Papa, me souvient-il. Mais il n'y eut pas de fête, comme ce soir de septembre à Repentigny, huit ans déjà auparavant.

Ce livre est imprimé sur
du papier contenant plus
de 50% de papier recyclé
dont 5% de fibres recyclées.

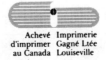

Achevé   Imprimerie
d'imprimer Gagné Ltée
au Canada Louiseville

dirigée par
Diane Martin